W9-CBC-742

LESSONS LEARNED OVER TIME

Learning From Earthquakes Series

Volume V

Adobe Housing Reconstruction after the 2001 El Salvador Earthquakes

Earthquake Engineering Research Institute

Copies of this publication may be purchased from:
EERI
499 14th Street, Suite 320
Oakland, CA 94612-1934
Tel: (510) 451-0905
Fax: (510) 451-5411
E-mail: eeri@eeri.org
Web site: http://www.eeri.org

This research was conducted as part of the EERI Learning from Earthquakes Program with support from the National Science Foundation under grant #CMS-0131895.

ISBN: 0-943198-00-3

EERI Publication Number: 2004-01

Figures and photos:

All figures by Dominic Dowling (University of Technology, Sydney) except as noted below:
Figure 1: United Nations.
Figure 2: Data from United Nations Development Program (UNDP). Figure by Dominic Dowling.
Figures 3, 4: Data from Dirección General de Estadísticas y Censos (DIGESTYC), Government of El Salvador. Figures by Dominic Dowling.
Figures 5, 7, 8: Manuel Lopez Menjivar, University of El Salvador.
Figure 16: Sketch by Equipo Maíz. Text by Dominic Dowling.
Figure 18: El Diario de Hoy.
Figure 20: Equipo Maíz.
Figure 29: Dr. Steve Oates, Shell International.

Cover images

Background: Severely affected village (Menjivar, UES), figure 7.
Color photo: Adobe training program, Expedition El Salvador project, figure 30.

Disclaimer

Any opinions, findings, conclusions, or recommendations expressed herein are those of the authors and do not necessarily reflect the views of the National Science Foundation, EERI, or the authors' organizations.

Project Manager: Marjorie Greene

Editor: Sarah K. Nathe

Editorial Coordinator: Eloise Gilland

Production: Wendy Warren

Table of Contents

Adobe Housing Reconstruction after the 2001 El Salvador Earthquakes
Dominic Dowling

Lessons Learned Over Time

The *Lessons Learned Over Time* series, part of EERI's Learning from Earthquakes Program, was established to capture and disseminate lessons that may not become apparent until some years after an earthquake or that bear re-evaluation in light of what we know today.

The goals of the *Lessons Learned Over Time* series are as follows:

- To obtain and disseminate new information about a specific recovery and reconstruction process.
- To correct mistakes in interpretation or analysis that were made in earlier studies.
- To reinterpret what happened in light of new information or understanding.
- To update an existing database or reanalyze existing data.

These types of retrospective studies are crucial to improving our understanding of earthquakes, their effects, and how we recover from them. The Learning from Earthquakes Program, through the sponsorship of the National Science Foundation, is committed to funding these historical analyses and evaluations. It is our hope that this information will allow us to build safer structures and to better prepare for and recover from future earthquakes.

About EERI

The Earthquake Engineering Research Institute (EERI) was organized in 1949 as a nonprofit corporation. EERI's mission is to reduce earthquake risk by advancing the science and practice of earthquake engineering; by improving understanding of the effect of earthquakes on the physical, social, economic, political, and cultural environment; and by advocating comprehensive and realistic measures for reducing the harmful effects of earthquakes. EERI has members in 45 states, one U.S. territory, one U.S. commonwealth, and 58 foreign countries.

Acknowledgments

This investigation has been made possible through the support and interest of many people and groups. I especially thank the Earthquake Engineering Research Institute (EERI) and the National Science Foundation (NSF) for providing funding and support. Sincere thanks to the following organizations and individuals for generously offering their time, resources and support during this investigation: Asociación Bálsamo, Atlas Logistique, CENAPRED México, COEN, Ing. Rafael Colindres, CONRED Guatemala, Equipo Maíz, Expedition El Salvador, Fundación Boll, FUNDASAL, GeoHazards International, GESAL, GOAL, INSAFORP, Las Melidas, OIKOS, Dr. Ing. Gabriel Pons, Christian Rademaker, REDES, Stanford University, Tipping Mar + Associates, Trocaire, UNDP El Salvador, Unidad Ecológica Salvadoreña (UNES), Universidad CentroAmericana (UCA), Universidad de El Salvador (UES), Universidad del Valle de Guatemala, Universidad Nacional Autónoma de México (UNAM), University of California at Berkeley, University of Technology at Sydney (UTS), and the Vice-Ministerio de Viviendas y Desarrollo Urbano (VMVDU).

EERI and I are grateful to Marcial Blondet and Gladys Villa Garcia M. of the Pontificia Universidad Católica del Perú for their painstaking work in translating the English version of this report into Spanish. It is the first EERI publication that has been translated and printed in both languages simultaneously, and in the future we hope to do the same with other new publications.

I would like to acknowledge the steadfast efforts of the EERI LFE editorial and production team (Marjorie Greene, Sarah K. Nathe, Eloise Gilland, and Wendy Warren), who have energetically supported and undertaken the task of producing both English and Spanish versions. I am delighted with the final product.

Special thanks to Professor Bijan Samali of the University of Technology, Sydney, for supporting my research endeavors, providing invaluable guidance and thoroughly reviewing the manuscript. I am also grateful to Sally Campbell and Mark Cini for their detailed reviewing and constructive feedback.

I wish to thank Dr. Julian Bommer for taking time to support my investigations and share many of his contacts and resources in El Salvador.

Special appreciation is due to Melvin Tebbutt for his selfless mentorship, guidance and support.

My warmest appreciation and respect is extended to the people of El Salvador, who generously opened their homes, their lives, and their realities.

Dominic Dowling
December 2003

About the Author

Dominic Dowling is a Ph.D. research candidate in the Centre for Built Infrastructure Research, Faculty of Engineering at the University of Technology, Sydney, Australia. His focus is on improving the earthquake resistance of adobe housing, with specific interest in low-cost, low-tech solutions for developing countries. Dominic spent a total of nine months in post-earthquake El Salvador in 2001 and 2002, and was involved in various earthquake relief, rehabilitation, research and reconstruction activities. Involvement in this EERI investigation has challenged him to consider all aspects of the application of improved adobe, and has given him an increased motivation to seek appropriate solutions to a major problem.

Executive Summary

The Earthquakes

On January 13, 2001 a major earthquake registering M_W 7.7 devastated the small Central American country of El Salvador, leaving over 800 people dead. Exactly one month later, on February 13, 2001, a second major earthquake, registering M_W 6.6, caused further destruction to the already damaged physical and social infrastructure, and killed around 300 people. The housing sector of El Salvador was particularly affected, with over 165,000 homes destroyed and an additional 110,000 homes damaged. In the heavily affected areas, up to 85% of the houses were destroyed. Damage and destruction in rural areas was much higher than in urban areas. The degree of destruction can be attributed to two main factors: the building material used, and the quality of construction and maintenance.

Traditional, low-cost housing (adobe, *bahareque,* timber, lamina) was damaged, with approximately 75% of the affected houses being made of such materials. The vulnerability of traditional adobe (mudbrick) housing was clearly demonstrated: 44% of the pre-earthquake adobe housing stock was affected, accounting for 57% of the total affected houses. In the majority of cases, the affected houses were poorly constructed or maintained, usually by the homeowners themselves. Over 60% of the affected houses were located in rural zones. The earthquake damage clearly demonstrated the need to reduce the vulnerability of common housing to seismic events.

Housing in El Salvador

The choice of building material in El Salvador is predominantly influenced by income level and location in an urban or rural setting. These factors determine the access to funds, materials, skilled artisans and land. Any sustainable housing solution must work within these constraints in order to benefit the homeowners and residents.

Prior to the earthquakes of 2001 there was a combined qualitative and quantitative housing deficit of over 550,000 houses, indicating that over 40% of the population lived in substandard housing conditions. The huge housing deficit in El Salvador reveals that a quick-fix solution will not be possible, and that long-term, sustainable initiatives are required to lower vulnerability and reduce the housing deficit.

Postearthquake Recovery

In the aftermath of the earthquakes, significant international assistance was offered to El Salvador to support medium and long-term development activities. Medium-term projects focused on the rehabilitation and reconstruction of damaged infrastructure, such as buildings (health and education facilities, houses, churches, public buildings) and lifelines (roads, water and telecommunications networks). Long-term initiatives have included infrastructure development, as well as aspects of disaster mitigation and preparedness, improving institutional capacity and fostering sustainable development.

Improved Adobe

Improved-adobe training and construction is a viable means of reducing earthquake vulnerability, lowering the housing deficit, and promoting sustainable development. Improved adobe describes adobe houses that include systems and processes that increase seismic resistance (foundations, reinforcement, pilasters, ring beam, overall aseismic design, and improved material and construction quality). Improved adobe will preserve lives and minimize injuries, although it is not "earthquake proof" and is unlikely to perform as capably as a well-constructed house made of modern materials (concrete, brick, steel). The structural properties of adobe (low strength, brittle material) mean that even a well-designed and constructed improved-adobe house will almost certainly suffer extensive damage during a strong earthquake. Despite this limitation, adobe will continue to be the construction material of choice for a large number of poor families in El Salvador and other developing countries, who cannot afford any alternative.

A number of initiatives have been undertaken in postearthquake El Salvador to support and encourage the use of improved adobe in housing construction. Three approaches have emerged:

- Increasing the overall awareness, acceptance and understanding of improved adobe. These activities take place at community and institutional levels to inform key stakeholders (local homeowners, and governmental and non-governmental entities) about the application and value of improved-adobe systems.
- Increasing the capacity of local artisans in safer adobe construction through training programs and skills building projects.
- Consideration of improved adobe as a viable alternative to concrete block in agency-supported housing construction projects. In these cases, the main focus is on the provision of adequate housing, but a subsidiary benefit is the informal learning by those who assist in the construction of their homes, under the direction of trained technicians.

The postearthquake improved-adobe activities in El Salvador represent one of the first major attempts for large-scale implementation of such a system in Latin America. As expected, the process has faced various challenges, many of which have been due to the pioneering nature of the projects. Challenges have also related to the attitudes and awareness of the general community, the Government of El Salvador (GOES), donors, non-governmental organizations (NGOs) and the media towards adobe specifically and development in general. A significant challenge has been posed by resource limitations, including adequate funding, trained and experienced personnel, and time. The solution to these challenges is a combination of promotion, training, and social and technical initiatives and a strategic approach. Further research and development is an essential component in each of these activities.

A significant number of improved-adobe initiatives have been successful in earthquake-affected El Salvador. The large needs, however, mean that much more activity is required, and the lessons learned since the earthquakes provide a foundation for further action. Reviewing the strengths and limitations of the initiatives, and making improvements where appropriate, will ensure that innovative techniques can be effectively transferred to relevant stakeholders.

ADOBE HOUSING RECONSTRUCTION AFTER THE 2001 EL SALVADOR EARTHQUAKES

Dominic Dowling, University of Technology,
Sydney, Australia

Background

The Country

El Salvador is the smallest and most densely populated country in Central America. It covers an area of 21,040 km^2 (CIA 2002) and in 2001 it had an estimated population of 6,350,000 (UNDP 2001). El Salvador is divided into 14 departments and is bordered by the Pacific Ocean to the south, Guatemala to the west and Honduras to the north and east (**figure 1**). El Salvador has a long history of seismic activity, and is affected by subduction and upper-crustal earthquakes. Over the last century, El Salvador has experienced an average of one major, destructive earthquake per decade (Bommer et al. 2002).

El Salvador's recent history is replete with disasters, both natural and human in origin. Natural disasters have included major earthquakes in 1965, 1982, 1986 and 2001, Hurricane Mitch in 1998, and various periods of drought and flooding. The human-generated disasters have included social, environmental and economic injustices (poverty, landlessness, deforestation, unemployment and a huge disparity in wealth distribution). These features have come to a head in violent uprisings by the marginalized, and aggressive repressions by the military and ruling class. A series of conflicts over the last 100 years increased strong social imbalances and created an environment of fear and

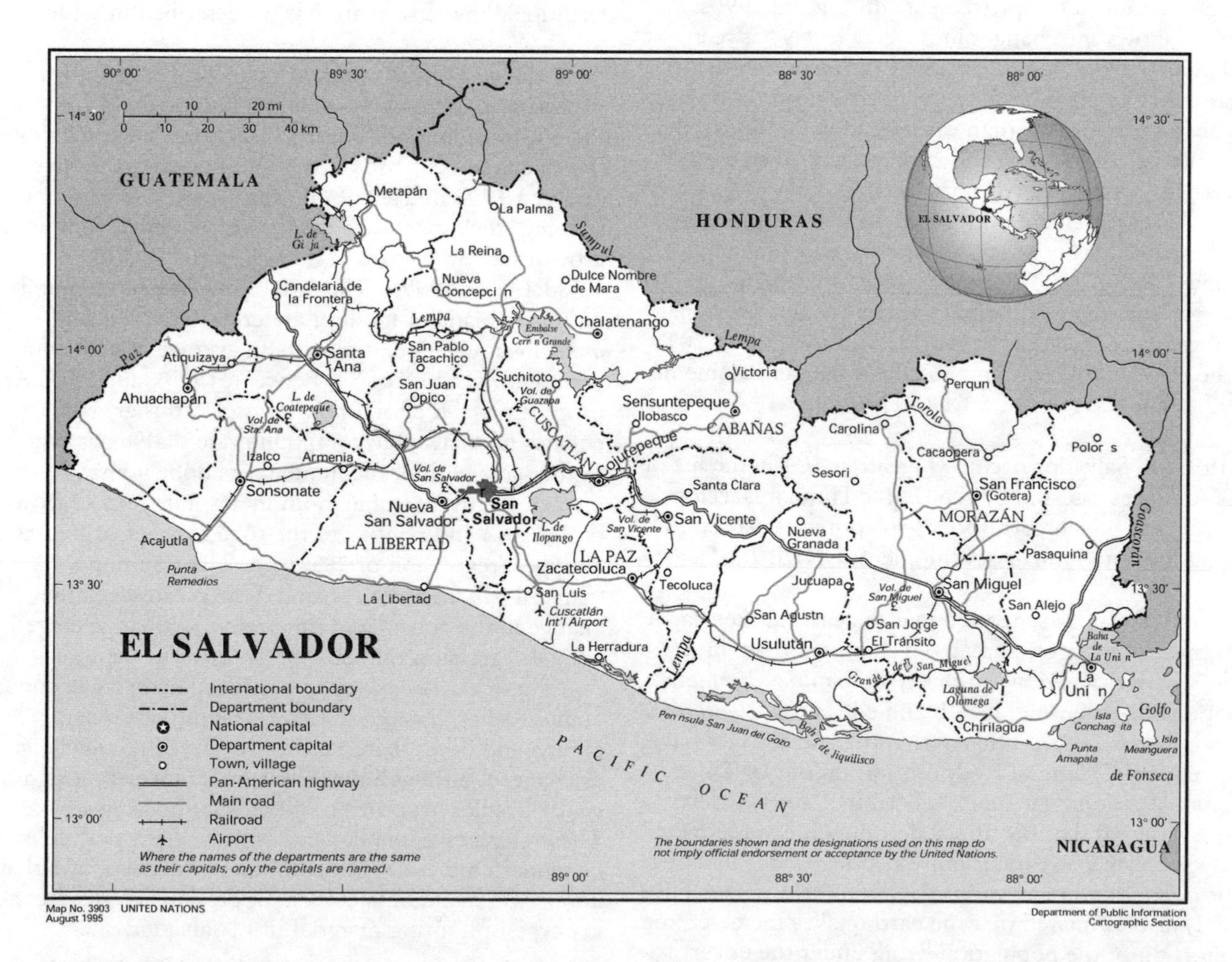

Figure 1 *Map of El Salvador.*

Table 1 *Percentage of population living in poverty in 1991, 1999 and 2001 (UNDP 2001)*

Area	1991	Pre-quake (1999)	Post-quake (2001)
Urban poverty	59.7	37.6	40.2
Rural poverty	71.2	61.2	66.4
Total country poverty	65.7	47.5	51.2

uncertainty across the country. In 1992, the 12-year civil war ended with the signing of peace accords, and the country began the process of rebuilding social, institutional and physical infrastructure and systems.

Human Development

The human development indicators of El Salvador realized significant improvements during the 1990s. **Table 1** shows the changes in poverty levels between 1991 and 1999. Despite an 18.2% reduction in the portion of the population living in conditions of poverty (receiving less income than the cost of basic needs), the disparity between urban and rural poverty increased. Poverty in urban areas dropped 22.1%, whereas poverty in rural areas declined only 10%. In 1999, the average rural income was only 40% of the average urban income (UNDP 2001). Furthermore, the UNDP (2001) reported that the inequality levels in El Salvador remain amongst the highest in the world, with the richest 20% of the population receiving 56.2% of overall income in 1999, while the poorest 50% received only 16.4%.

In 1999, El Salvador occupied position 104 in the list of 173 countries assessed by the UNDP Human Development Index, which corresponds to countries classed as having medium human development (UNDP 2001).

The UNDP (2001) suggested that the earthquakes had a far greater impact on human development than on economic factors because the key human development components—housing, health and education—were the most affected. It is estimated that the earthquakes have resulted in a decline of five positions on the UNDP Human Development Index list (UNDP 2001). It has been suggested that the affected population was effectively set back 20 years or more because of the loss of house, crops and possessions (UNDP 2001). The UNDP (2001) also estimated that the earthquakes increased the proportion of the population living under the poverty line by 3.7% (**table 1**), with a greater increase in rural poverty (up 5.2%) than urban poverty (up 2.6%).

Housing

The *Dirección General de Estadísticas y Censos* (DIGESTYC), which forms part of the Government of El Salvador (GOES), reported that the total housing stock of El Salvador in 1999 was 1,383,145. This consisted of 860,082 homes (62%) in urban areas and 523,063 homes (38%) in rural areas. The housing materials used include so-called modern materials and traditional/low-cost materials, as described in **table 2.**

Since the end of the civil war in 1992, El Salvador has experienced increased development in many sectors of society, including housing construction. **Figure 2** shows the changes in the use of different housing materials between 1993 and 1999. In this period, the national housing stock increased at an average annual compound growth rate of 4% (from 1,091,728 in 1993 to 1,383,145 in 1999). The rate of increase in the number of houses made of modern materials (concrete and *mixto*) was even greater, with an average annual compound growth rate of 8% between 1993 and 1999. As a proportion of the total housing stock, this growth equates to an average compound rate of 4% per year. In the same period, the number of adobe houses remained relatively stable, both in absolute terms (growth of 2% p.a.) and relative to the total number of houses of all types (regression of 2% p.a.). The traditional material *bahareque* experienced the greatest relative change in the considered timeframe, with an average annual regression rate of 9%. Relative to the total housing stock, *bahareque* experienced an average annual compound regression of 13%. The use of timber, lamina and other materials has remained relatively unchanged, although these materials represent a significantly smaller proportion of the total housing stock. These changes in the housing stock suggest that the use of modern materials will continue to increase, and that adobe will maintain a consistent presence as the secondary type of housing material in El Salvador.

Table 2 *Common housing materials used in El Salvador*

Category	Material	Description
Modern materials		
	Concrete	Any concrete building, including concrete block, concrete panel walls, reinforced concrete, etc.
	Mixto	System of confined masonry, consisting of lightly reinforced concrete beams and columns with infill brick masonry.
Traditional / low-cost materials		
	Adobe	Sun-dried mud brick.
	Bahareque	Matrix of vertical and horizontal timber or cane elements that confine mud or stones. Also known as wattle and daub.
	Timber	Any type of timber construction.
	Lamina	Metal lamina sheeting, typically corrugated, which is supported by a timber frame.
	Other	e.g. plastic sheeting, palm fronds, cardboard, discarded materials.

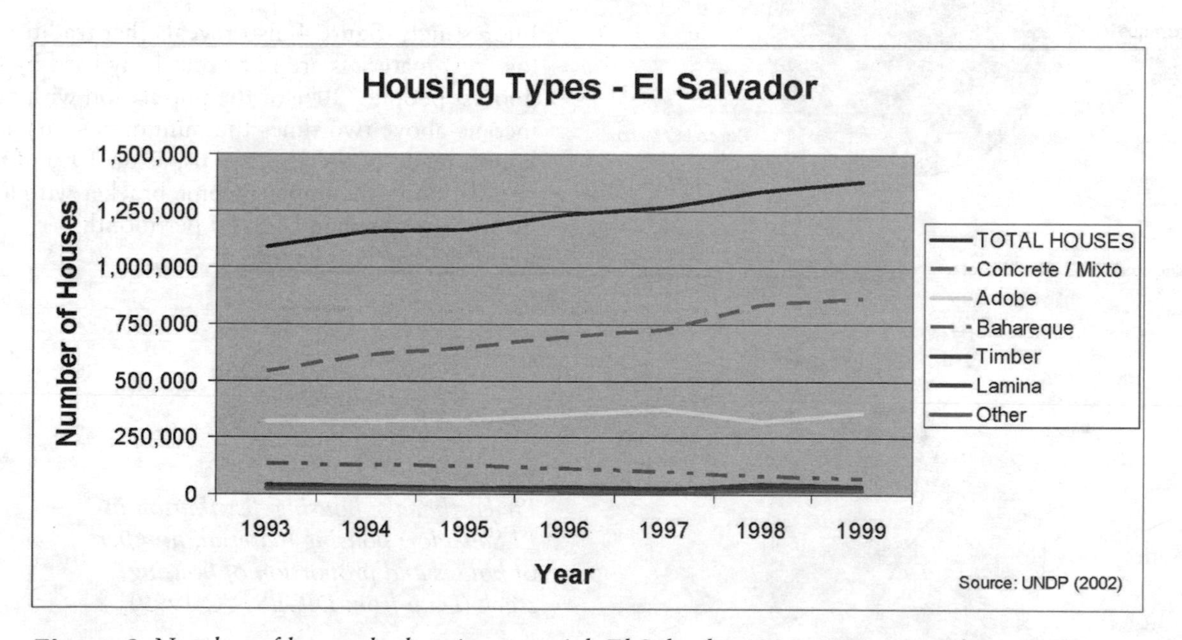

Figure 2 *Number of houses by housing material, El Salvador 1993–1999 (Data from UNDP 2002).*

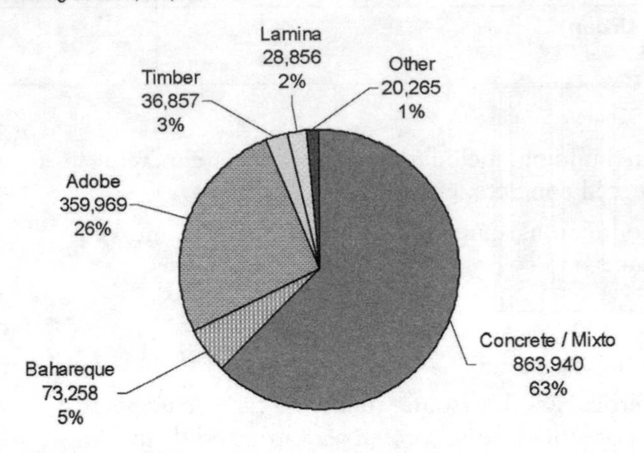

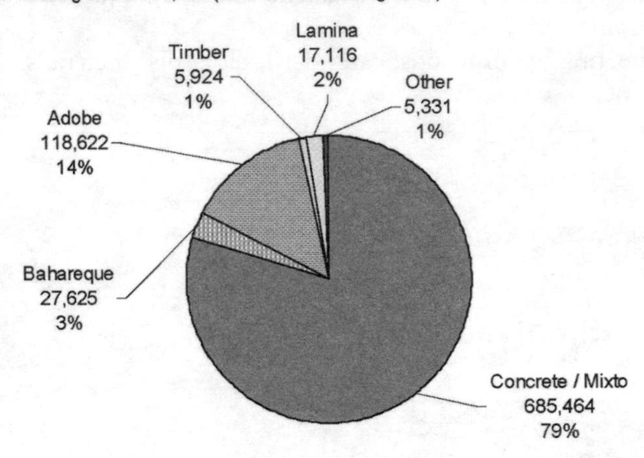

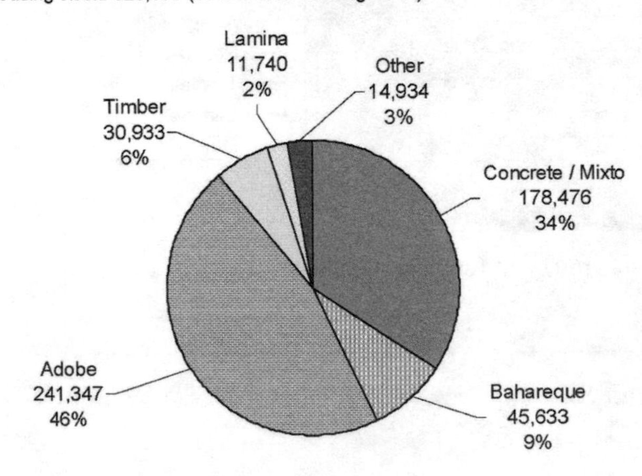

Figure 3 shows the pre-earthquake distribution of housing in El Salvador, considering the whole country, as well as the distinction between rural and urban areas.

Available statistics suggest that there are two main factors influencing the type of housing material used. The first factor is income level and the second factor is location. As expected, those families with a higher income tend to live in houses built with more expensive, modern materials. This feature is demonstrated in **figure 4**, which shows the proportion of modern and traditional/low-cost housing materials in relation to monthly family income. **Figure 3** and **figure 4** also reveal the difference between urban and rural housing. In rural areas, the proportion of traditional/low-cost houses is not surpassed by modern houses until the monthly income reaches US$457. By contrast, in urban areas, the proportion of modern houses exceeds the proportion of traditional/low-cost houses when the monthly income exceeds only US$46. **Table 3** shows some of the features that may contribute to this disparity and is based on field observations, interviews and review of statistics and literature.

Interestingly, **figure 4** also reveals that traditional or low-cost materials are not exclusively used by the poorest people. 20% of the population with an income above two times the minimum salary live in houses made of these materials, as do 10% of the population in the upper income bracket with an income greater than US$800 per month.

Figure 3
Pre-earthquake housing distribution in El Salvador: housing material, number of houses and proportion of housing stock (Data from DIGESTYC 1999).

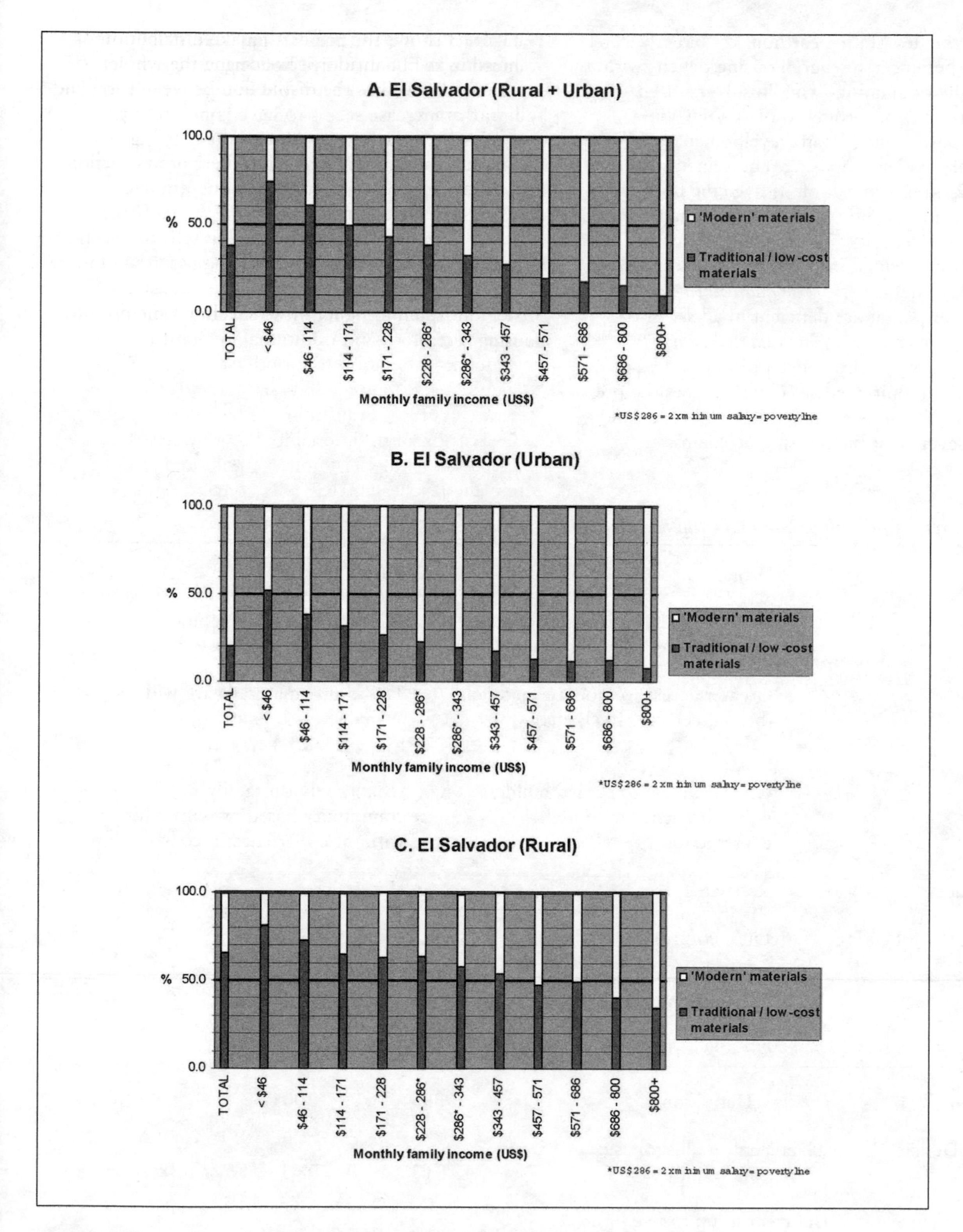

Figure 4 *Proportion of different housing materials in relation to monthly income (Data from DIGESTYC 1999).*

Even prior to the devastating earthquakes of early 2001, El Salvador experienced a severe housing deficit, with over 40% of the population living in sub-standard housing conditions. According to the GOES Vice-Ministry of Housing and Urban Development (VMVDU 2001), there are six basic housing requirements: 1) safe/secure walls, 2) safe/secure roof, 3) hygienic floor, 4) adequate sanitation facilities, 5) access to potable water, and 6) access to electricity. The housing deficit in El Salvador has been divided into two sections to reflect different levels of deficiency. The *quantitative deficit* accounts for homes that are deficient in all six of the basic housing requirements. The *qualitative deficit* accounts for homes that are deficient in up to five of the six basic housing requirements. **Table 4** shows the pre- and postearthquake housing deficit in El Salvador and indicates the severity of the housing problems.

The impact of the earthquakes has been most pronounced in the quantitative housing deficit, which experienced an almost four-fold increase (**table 4**). The bulk of this increase seems to have come from previously classified qualitative deficit houses being reclassed as quantitative deficit houses. The distinction drawn between the qualitative and quantitative deficit does not give a true indication of the actual housing needs. Understandably, the main emphasis of construction activities seems to be on reducing the quantitative housing deficit. This in itself, however, does not provide an adequate solution to severe problems in the housing sector.

Table 3 *Features influencing urban and rural construction*

Feature	Urban	Rural
Income	Greater access to income sources. Medium level of poverty (**table 1**)	Minimal access to income sources. High level of poverty (**table 1**)
Materials	Greater access to modern materials (bricks, cement, steel, etc.)	Traditional materials are widely available (soil, bamboo, rocks, low-grade timber, etc.)
Builders	Greater access to skilled builders with experience in modern construction	Usually rely on family or community-based artisans with or without experience in construction
Land space	Restricted	Unrestricted
Enforcement of codes	Little control	Little or no control

Table 4 *Pre- and postearthquake housing deficit, El Salvador (VMVDU 2001)*

Deficit	Definition	1999	2001	% change
Quantitative Deficit	Deficient in all six basic housing requirements	42,817	208,136	386% increase
Qualitative Deficit	Deficient in up to five basic housing requirements	511,507	363,114	29% decrease
TOTAL DEFICIT	Quantitative + qualitative deficit	554,324	571,250	3.1% increase

Improvement of just one of the six basic housing requirements changes the status of a given home from the quantitative deficit field to the qualitative deficit field. It can be pondered, however, whether access to electricity or the provision of a latrine will drastically improve the quality of life of the residents of that home if they lack safe/secure walls and/or roof and/or access to potable water. Many communities visited during this investigation had access to electricity, and were considered in the qualitative deficit category, despite the dilapidated state of many houses in these communities. Consequently, these houses have attracted less attention and support during the reconstruction activities.

The tremendous number of houses making up the postearthquake quantitative deficit also indicates that the provision of housing is not the only requirement of the reconstruction process. Reconstruction projects aimed solely at housing will resolve only three of the basic housing requirements (walls, roof and floor). Reconstruction activities should take into account the full package, including the provision of sanitation facilities, access to potable water and allowance for future electricity connection.

In 1999, the Vice-Ministry of Housing and Urban Development noted that 78.1% of the housing deficit was represented by families living below the poverty line and that this level of income was insufficient to finance construction or to obtain access to finance schemes (VMVDU 1999). This renders these families totally reliant on external support (outright donation) or self-directed construction using the available resources. Despite the unprecedented levels of construction in El Salvador in the wake of the earthquakes, the construction activity is both short-term and insufficient to cover all of the housing needs.

The 2001 Earthquakes

The earthquakes of January 13 and February 13, 2001, caused widespread damage across El Salvador. Almost every department was affected in some way, with the housing sector being particularly hard-hit. The damage from the January 13 earthquake was much greater than that of the February 13 earthquake, but because of the short time period between the two events, many of the damage statistics have been combined. **Table 5** shows various features of the two earthquakes.

The majority of fatalities in the first quake were due to a large landslide that enveloped a section of the city of Santa Tecla and claimed approximately 500 lives (*La Prensa Grafica* 2001). The loss of life would have been much higher if the earthquakes had occurred during the night when sleeping residents may have been trapped in their homes.

A comprehensive initial assessment of impacts ("Preliminary Observations on the El Salvador Earthquakes of January 13 and February 13, 2001") was published as an EERI Special Earthquake Report in July 2001.

Housing Damage

The UNDP (2001) reported that the estimated losses to the housing sector totaled US$333.8 million, which accounts for 21% of the total damage incurred. **Figure 6** shows the number of houses affected and details the impacts on the common housing types in El Salvador. Damaged houses are considered houses that were damaged but able to be repaired. Destroyed houses are considered houses that were assessed as uninhabitable. The term "affected houses" refers to both damaged and destroyed houses.

The UNDP (2001) reported significant inconsistencies in the damage statistics presented by the GOES and other institutions. For this report, statistics published by the GOES' *Dirección General de Estadísticas y Censos* (DIGESTYC) have been adopted because they are the most comprehensive for pre-earthquake housing (1999) and official postearthquake damage (2001).

An evaluation of these statistical features, in combination with field observations, reveals the impact of the earthquakes on El Salvador's housing stock. Twenty percent of all houses in El Salvador were affected (12% destroyed and 8% damaged). This large impact has had an effect on the entire functioning of the country, as resources were directed toward the reconstruction process. Even those in unaffected areas have been affected as governmental and nongovernmental institutions prioritize their activities to assist areas most affected by the earthquakes.

Some areas of El Salvador were practically unscathed, whereas other areas were heavily impacted (**figure 7**). Official statistics (DIGESTYC 2001) show that the most affected departments were San Vicente (69.3% affected), La Paz (64.5% affected), Usulutan (57.0% affected) and Cuscatlan (48.5% affected). The remaining ten departments were less affected. Within each department, the level of damage also varied significantly. The most affected municipalities were Verapaz, San Vicente (95.3% affected, 85.5% destroyed); San Francisco Javier, Usulutan (94.5% affected, 80.6% destroyed); San Agustin, Usulutan (93.5% affected, 82.9% destroyed); and San Cayetano Istepeque, San Vicente (92.5% affected, 84.5% destroyed).

In terms of urban/rural differences, 12% of all urban houses were affected (6% destroyed and 6% damaged), but 33.5% of all rural houses were affected (22% destroyed and 11.5% damaged). The statistics also suggest that, overall, houses in rural areas were more likely to be totally destroyed than to be simply damaged (**figure 8**). The contributing factors include the materials used, the quality of construction and maintenance, and the access to income and technical support. These factors are discussed in greater detail later.

With reference to vulnerable building materials, 57% of the affected houses were made of adobe, 68% of the destroyed houses were made of adobe, and 40% of the damaged houses were made of adobe. Of all adobe houses, 44% were affected (32% destroyed and 12% damaged). That adobe houses were far more likely to be completely destroyed than to be simply damaged indicates the susceptibility of traditional adobe to sudden and catastrophic failure during a seismic event. This, in turn, dramatically increases the risk of fatalities, injuries and loss of household possessions.

Table 5 *Features of 2001 El Salvador earthquakes*

Date	Saturday January 13, 2001	Tuesday February 13, 2001
Time	11.33 am (local time)	8.22 am (local time)
Geographic Co-ordinates	13.049 N, 88.660 W (NEIC 2001)	13.671 N, 88.938 W (NEIC 2001)
Magnitude	M_W 7.7 (NEIC 2001)	M_W 6.6 (NEIC 2001)
Depth	60 m (NEIC 2001)	10 m (NEIC 2001)
Fatalities	844 (COEN 2001)	315 (COEN 2001)
Injuries	4,723 (COEN 2001))	3,399 (COEN 2001)
Affected population	1,616,782 people (UNDP 2001) (=25% of the population)	
Houses	166,529 destroyed (DIGESTYC 2001) 110,065 damaged (DIGESTYC 2001)	
Roads	2,300 km damaged (*La Prensa Grafica* 2002)	
Health facilities	20 hospitals and 75 health centers damaged (Ministry of Health 2001)	3 hospitals and 22 health centers damaged (Ministry of Health 2001)
Education facilities	1,706 damaged (Ministry of Education 2001)	111 damaged (Ministry of Education 2001)
Churches	344 damaged (COEN 2001)	73 damaged (COEN 2001)
Public Buildings	1,155 damaged (COEN 2001)	82 damaged (COEN 2001)
Economic losses	US$1,255.3 million	US$348.5 million
	Total losses: US$1.6 billion (=12% of 2001 GDP) (UNDP 2001)	
Landslides	574 (COEN 2001) (**figure 5**)	71 (COEN 2001)
Other	Eight people killed in Guatemala. Felt from Mexico City to Colombia. (NEIC 2001)	Felt throughout El Salvador and in Guatemala and Honduras. (NEIC 2001)

Figure 5 *Housing destruction and landslides (Menjivar, UES).*

The other main traditional building material, *bahareque*, exhibited damage features statistically similar to adobe: 44% of all *bahareque* houses were affected (34% destroyed and 10% damaged). However, *bahareque* made up only 5% of the total housing stock of El Salvador prior to the earthquakes.

Contrary to widespread local opinion, houses constructed of modern materials (concrete and *mixto*) were not immune to damage, since 8.3% of such houses were affected (2.4% destroyed and 5.9% damaged). However, the houses were much less susceptible to complete destruction, as they maintained some degree of structural integrity. This is a highly desirable feature of aseismic design; it means that occupants may safely exit the building during a quake, even if there is irreparable damage to the building.

A long-term impact of the El Salvador earthquakes is the reduced confidence in the performance of adobe in seismic events. This perception is understandable considering that adobe performed poorly. Additionally, many organizations and businesses promote the use of modern materials (brick, steel, and concrete). What is not understood by many people is that *various* factors govern the seismic performance of a building (including building configuration, site conditions, material compatibility, and quality of construction, repair and maintenance). This lack of understanding presents a challenge to advocates of adobe and improved-adobe construction.

Reconstruction in El Salvador in 2002

Most people suggest that the reconstruction process has been slow. Many people lack basic facilities and are still living in temporary shelters. Some severely affected communities have not received any aid assistance since the provision of emergency shelters by the GOES and relief agencies shortly after the earthquakes. This slow response is mainly due to the immensity of the housing shortage and the lack of resources to assist those in need. Other reasons include isolation, corruption, and poor municipal and community organization and cooperation. In one rural community, a woman alleged that the local mayor had received an aid donation of 300 sacks of corn, which he sold instead of distributing to the community. In another community, a local woman was attempting to organize a group to coordinate the request for assistance, but complained of a lack

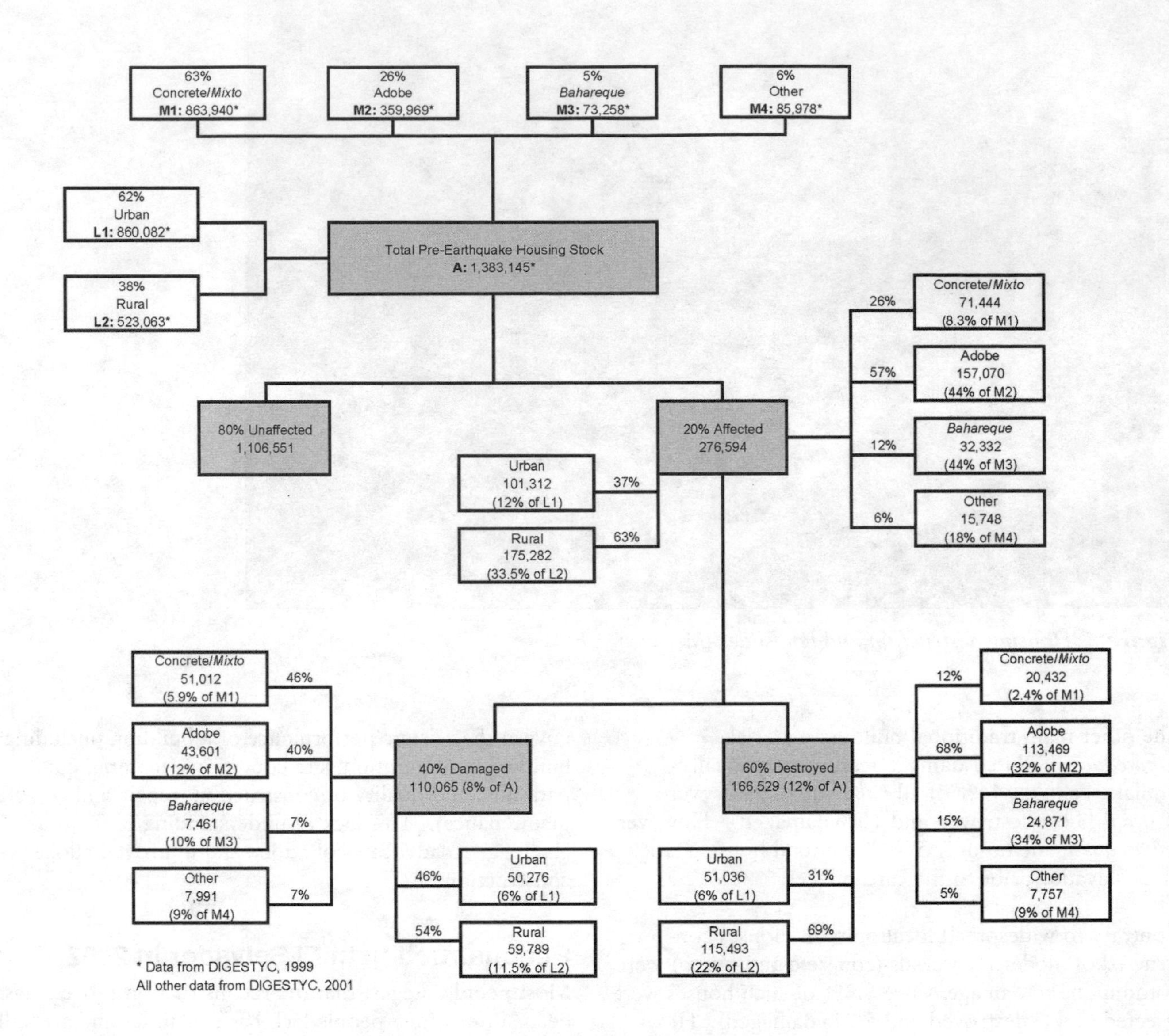

Figure 6 *Flowchart of affected houses (Data from DIGESTYC 1999 and 2001).*

Figure 7
Severely affected village (Menjivar, UES).

Figure 8
Destroyed house (Menjivar, UES).

of support from the mayor (who represents a different political party) and a reluctance of the community to become involved in a lobby group because of a fear of retribution, an unfortunate legacy of El Salvador's recent violent history. This lack of trust and community participation is echoed by the UNDP (2001), which reports that "public confidence (in others) and affiliation to organizations are growing but are still very low."

Because the housing demand far exceeds the supply, a stringent process of beneficiary selection must be undertaken for aid projects. This typically involves the assessment of various factors, including income level, legal land ownership, location of land, and capacity to assist in the construction. An example of a typical aid agency beneficiary criteria (USAID) is presented in **table 6**. Although funding agencies have strict requirements relating to the objectivity and transparency of the selection process, there are inevitable conflicts of interest or simple confusions that may taint the process. In many cases, this is because people do not understand the process or adjust their responses to provide (perceived) correct answers. In other cases, there may be actual favoritism (whereby a beneficiary is unfairly selected) or perceived favoritism (whereby a beneficiary is fairly selected, but others perceive their selection as unfair). In either situation, the effects in the community may be long-lasting.

Table 7 shows the housing reconstruction progress in El Salvador up until November 2001, as well as the anticipated future construction activities. Houses built (and expected) total 112,518, which covers 68% of the houses destroyed, but only 54% of the total quantitative housing deficit in El Salvador in 2001.

For a number of reasons (lack of confidence in traditional construction systems, slow emergency response, a wait-for-help attitude, and simple climatic considerations), many families occupy both a "day house" and a "night house." Typically, a day house consists of the family's damaged adobe or *bahareque* house that has been roughly repaired using available materials (timber, soil, lamina, cardboard, branches, plastic sheeting) and is used for daytime activities, such as cooking, relaxing and chatting (**figure 9**). Because they fear future

Table 6 *Eligibility criteria for housing beneficiaries (USAID 2002c)*

Preliminary estimates indicate that approximately 30% of the total affected families in each municipality could meet the eligibility criteria of this program. USAID plans to finance reconstruction of houses in areas where houses were previously built in accordance with the following eligibility criteria:

(1) Be a permanent member of the target community;

(2) Have suffered the total loss of their only house during the earthquakes referenced herein. The total loss of a house is defined as: "A house that, because of the damage caused by the earthquakes, is in such condition that it represents a hazard for the family to continue living in the house, or one that was totally destroyed."

(3) Have a total family income of less than two urban minimum salaries (in other words, to be living below the poverty line);

(4) Be the owner of the land where the house will be built;

(5) Re-build their houses in areas of an acceptable level of risk from future earthquake damage, mud slides, etc., and reconstruct in non-environmentally sensitive areas;

(6) Provide labor for the construction.

Figure 9
"Day house."

Figure 10
"Night house."

earthquakes and lack confidence in the integrity of their traditional homes, most people prefer to spend the night in the small, steel lamina huts that were built as short-term accommodation (**figure 10**). These structures have excellent seismic resistance capabilities because of their light weight and flexible timber structure, but during the day, they absorb the heat of the sun, making them dangerously and unbearably hot. Because of this, they are commonly referred to as *hornos* (ovens). For many families whose homes were completely destroyed in the earthquakes, these *hornos* are the only homes available.

The postearthquake reconstruction activities in El Salvador have included a variety of different housing materials and construction approaches. A number of small, medium and large-scale projects have been initiated involving the support of local and international agencies. Different housing materials have included concrete block (**figure 11**), *mixto*, prefabricated concrete panel systems, in-situ molded concrete, fibrocement lamina, fiberglass panels, plastic in-fill panels, modular systems, steel lamina, pressed earth blocks and timber, as well as techniques based on traditional materials, such as adobe and *bahareque* (**figure 12**). The internal areas of new houses range from as little as 17 m^2 up to around 50m^2, with costs varying from US$1,500 to around US$4,000 – US$5,000 for agency-constructed concrete block houses. Some of these housing solutions have been criticized by local and international observers for being too hot, too small, too expensive, and inconsiderate of the cultural and social features of El Salvador. In some cases, the six basic housing requirements mentioned earlier are provided. In other cases, only the house is provided.

The provision of considerable foreign aid to support earthquake recovery activity has led to unprecedented, rapid development in El Salvador. The influx of this assistance has had mixed blessings. On the one hand, the aid has brought rapid relief to large numbers of affected people through the provision of basic needs (food, water, shelter, and clothing). Additionally, many of the most affected people have improved living conditions, thus reducing their vulnerability to future disasters. On the other hand, many relief activities fail to consider the long-term implications of fast-paced, short-term, externally driven initiatives. Some of the impacts include loss of traditional and local identity; increased reliance on external aid; and reduced capacity for effective, internal response to adversity. These impacts are considered as being inconsistent with the principles of sustainable development.

***Table** 7 Current and anticipated housing reconstruction, November 2001 (VMVDU 2001)*

Institution / Donor	Houses constructed or under construction	Houses negotiated but not yet in progress	Houses under negotiation	Total Houses No. (%)
Government Sector	7,047	15, 721	11,723	34,491 (31%)
"*Techo para un Hermano*" program*	1,032	77	1	1,110 (1%)
NGO Sector	26,020	23,451	27,446	76,917 (68%)
TOTALS	34,099	39,249	39,170	112,518

*The "*Techo para un Hermano*" ("Roof for a Brother") program was established to encourage Salvadoran businesses and individuals to support the construction of a house for an affected family.

Figure 11
Concrete block aid-agency supplied house, GOAL project.

Figure 12
Model improved bahareque house, FUNDASAL project.

Adobe in El Salvador

Adobe has been used in El Salvador since pre-conquest times, although the indigenous population mainly used light materials, such as straw, palm and reeds. In colonial times adobe houses became more prominent and included stone foundations, thick walls (up to 1.5 meters thick), stabilizing pilasters, and a timber roof structure supporting clay roof tiles (Moreira and Rosales 1998). Over time, however, adobe revealed itself to be very vulnerable to earthquake damage due to its large mass, low strength, and brittleness (**figure** 13). This, combined with the introduction of modern materials (cement, fired bricks, steel, aluminum, corrugated lamina, plywood and concrete blocks), led to a significant reduction in the use of traditional materials.

Despite the changes, adobe is still extensively used in El Salvador, particularly in rural areas, because it is affordable (soil is normally free, labor is usually community and family-based); easy to use (minimal specialist skills are required to build a simple structure); and available (materials are normally locally obtainable). It is also durable, sustainable, recyclable, modular, solid and secure, and has a high thermal capacity. Other limitations of adobe include susceptibility to water damage, longer fabrication and construction times, and a negative stigma (it is often associated with poverty or lack of progress).

Traditional Adobe

Traditional adobe construction is usually undertaken in an ad-hoc, unregulated manner. The systems and construction techniques vary considerably according to local practices, local materials and local skills. **Table** 8 shows the generalized features of traditional adobe construction in El Salvador. The format of **table** 8 has been adopted throughout this report such that a direct comparison may be made between different systems and techniques.

Figure 13
Typical traditional adobe house. Note: eroded walls, no plinth, long wall, adobe gable, poor roof-wall connection, tile roof.

Table 8 *Features of traditional adobe houses in El Salvador*

Location	All parts of El Salvador, mostly rural areas.
Housing type	Traditional adobe housing.
Timeframe	Varies.
Collaboration	No external support.
Costs	Minimal.
Supervision	Family head or local artisan.
Labor	Family and community.
Beneficiaries	Family.
Initial training	Simple, traditional techniques passed on. No formal training.
Dimensions	Varies.
Covered area	Varies.
Foundations	None or random rubble rocks in weak cement or mud mortar. Un-reinforced.
Plinth	None.
Damp proof course (DPC)	None.
Adobe soil	Local soil, often mixed with straw. Frequently contains foreign matter.
Blocks	Various sizes, made with moulds that are often poorly constructed. Blocks are mostly dried in direct exposure to sun and rain.
Mortar joints	Thick, often thicker than the blocks (**figure 14**).
Vertical reinforcement	None.
Horizontal reinforcement	Generally none, sometimes barbed wire.
Walls	Various widths, but often around 20cm. Generally load bearing, but in other cases the roof is supported by timber columns (*horcones*) with in-fill adobe walls that are rarely attached to the columns (**figure 15**). Walls are often out-of-plumb, with poor block overlap and vertical joints.
Pilasters	None.
Lintels	Timber.
Ring beam	None or rough-cut timber elements.
Ring beam – Wall attachment	None or wire looped around blocks two to three courses down.
Roof – Ring beam attachment	None or wire or nail connections.
Roof structure	Heavy rough-cut timbers for main structure, sticks or cane to support tiles. Often a two or four-pitch roof.
Roof cover	Heavy clay roof tiles or lamina sheeting.
Gables	Adobe, timber or cane.
Wall Cover	Uncovered or rendered with cement or mud.
Floor	Usually a bare earth floor. Sometimes a thin concrete screed or tiles.
Provision for extension	Ad-hoc extensions undertaken.
Other infrastructure	Situated in an existing community, with or without access to basic services.

Figure 14
Thick mortar joints and thin blocks, eroded wall, timber lintel.

Figure 15
Adobe house under construction, with timber columns supporting roof.

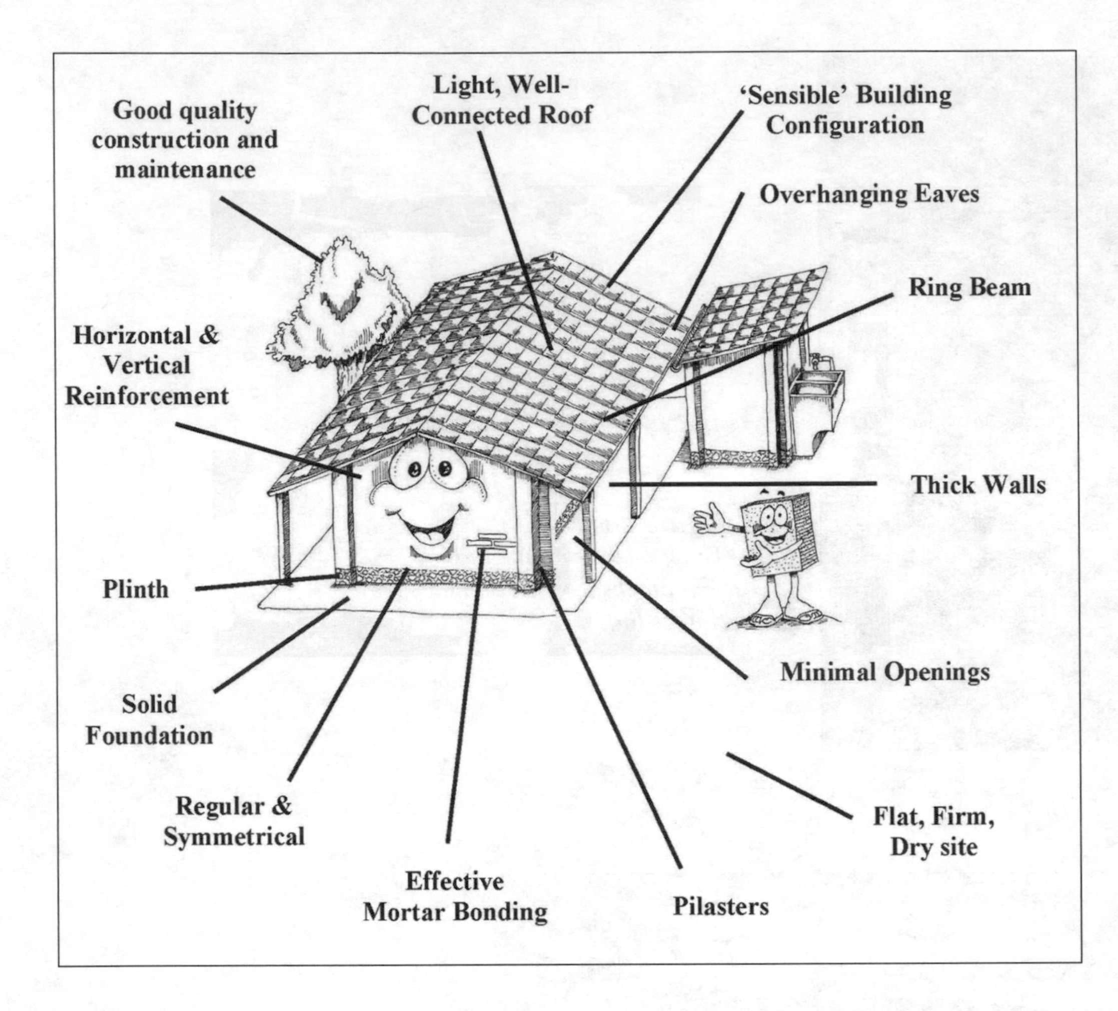

Figure 16
Key features of improved-adobe houses (Equipo Maíz 2001).

Improved Adobe

Improved adobe is a general term to describe adobe houses that incorporate systems and processes to increase seismic resistance. **Figure 16** shows the key features of improved-adobe houses and **table 9** shows how the improvement systems contribute to seismic resistance.

Improved adobe is important in the reconstruction of El Salvador because it could contribute to a sustainable reduction in the national housing deficit. There is, however, a widespread lack of awareness that improved low-cost, low-tech construction techniques exist; therefore, any improved-adobe initiatives should include a component of promotion and awareness-raising. There must also be training programs in improved construction to increase the skills base of local artisans. If local skills can be further developed, improved adobe is viable because most materials are locally available. As local skills are enhanced, improved adobe represents a low-cost solution that can be implemented with little or no external support. Furthermore, skills are a tool for income generation, which is an essential part of sustainable poverty reduction.

In the case of aid agency-supported projects, the high resource needs of houses constructed of modern materials (complex design, expensive materials, intensive supervision) limit the number of houses that can be built with the available funding.

Despite the significant advantages of improved adobe, it should be noted that it is not "earthquake proof" and that it is unlikely to perform as capably during a strong earthquake as a well-constructed house made of modern materials (concrete, brick, and steel). The main objective of improved-adobe housing is to reduce the vulnerability of occupants and their possessions. To preserve life and minimize injuries a building must not collapse or fail suddenly. The structure must have sufficient strength and ductility to allow the safe exit of all inhabitants during an earthquake event, even if later

Table 9 *Contributions to seismic resistance of improved-adobe systems*

Component	Contribution
Configuration	A regular and symmetrical building better resists torsional stresses.
Foundations	Distribute the load of the walls onto the ground. Foundations with continuous reinforcement increase structural integrity and transfer seismic forces to connected components.
Plinth	Raises the adobe blocks from the ground thus reducing exposure to moisture and erosion.
Damp proof course (DPC)	Minimizes the transfer of moisture from the ground to the wall (usually placed between the plinth and first course of adobe blocks).
Adobe soil and blocks	Soil should be homogenous and uniform and be carefully assessed such that excessive cracking or crumbling of blocks does not occur. Blocks should be regular and squared.
Mortar joints	Should be just thick enough to allow for inconsistencies in block dimensions and surface finishes such that subsequent courses of blocks have a level bedding (2-3 cm).
Internal vertical reinforcement	Transfers lateral forces to the foundation and ring beam, thus restraining: a) out-of-plane bending and overturning response (which generate corner cracking, inclined cracking and overturning of wall panels); and b) in-plane shear response (which generates horizontal and inclined cracking).
Internal horizontal reinforcement	a) Increases the vertical shear resistance capacity at corners (which minimizes vertical corner cracking and corner dislocation); b) Provides restraint to crack propagation due to in-plane shear forces.
External mesh reinforcement	a) Provides restraint to out-of-plane bending in both vertical and horizontal axes (which generate vertical corner cracking, overturning of wall panels and inclined cracking due to bulging). b) Provides restraint to in-plane shear (which generates horizontal and inclined cracking).
Walls	Length-height-thickness ratios and location of openings influence structural response. See IAEE (1986) and RESESCO (1997) for detailed information.
Pilasters	Provide restraint to the out-of-plane response due to bending.
Lintels	Change the patterns of stress at the corners of window and door openings, thus reducing inclined cracking.
Ring beam	a) Transfers out-of-plane seismic forces to more stable in-plane walls and restrains out-of-plane response due to bending about the vertical axis (thus minimizing vertical corner cracking, overturning of wall panels and corner dislocation). b) Distributes roof mass evenly over walls (if securely attached), thus reducing points of high stress concentration (which generate vertical cracking and overturning of wall panels).
Roof – Ring beam wall attachments	Are essential to distribute forces between components and promote effective diaphragm action.
Roof structure	Well-connected, promotes redundancy.
Roof cover	Light roof reduces the generation of a large seismic force.
Gables	Light and well-connected, reduces seismic force and overturning of unrestrained high gable walls.
Wall cover	Should protect the wall from erosion.
Floor	Can be used as a diaphragm if reinforced and attached (not common).

Figure 17
Improved-adobe house that was unaffected by the earthquakes, UNES project.

collapse occurs or demolition is required. To protect family possessions, a damaged building must be safe enough to re-enter to retrieve important household and family articles, even if the building requires later demolition.

Seismic Performance of Improved Adobe

The effectiveness of improved-adobe systems was demonstrated during the El Salvador earthquakes of 2001. Several improved-adobe buildings had been constructed in various locations around the country prior to 2001 as part of single-unit trial projects or medium-scale housing projects:

- A small house constructed by the NGO *Unidad Ecológica Salvadoreña* (UNES) in La Palomera, Santa Ana in 1999. The model house included vertical and horizontal reinforcement (*vara de castilla*), pilasters and ring beam. This small house suffered no damage (**figure 17**) and the design has been followed by other UNES projects (see **Appendix C**).
- A community hall constructed by FUNDASAL in San Jose de La Ceiba, San Vicente in 1997. This large building included pilasters and a reinforced concrete ring beam (FUNDASAL 1999) and suffered some minor cracking, which has been repaired.
- Various houses constructed under the coordination of Alain Hays (GEOdomus Internacional) in San Francisco de Ayutuxtepeque, San Salvador and San Juan de Letrán, Usulután, in 1993 and 1994. These houses included vertical and horizontal reinforcement, pilasters, reinforced concrete ring beams, and suffered no significant damage (Hays 2001).
- Over 300 houses constructed by FUNDASAL around the country since 1977. Different designs were used, with houses incorporating some or all of the typical improvement systems (FUNDASAL 1999). El Diario de Hoy (2001) reported that these houses "passed the test of two earthquakes."

These buildings performed extremely well during the earthquakes in some of the most affected areas. The damage and destruction to nearby houses made of traditional adobe, *bahareque*, concrete, and *mixto* confirms the improved performance of these structures. It is acknowledged that such a small sample does not present a statistically reliable spread, but it does provide significant encouragement to a developing construction style. The value of these examples in the promotion of improved adobe is also recognized by adobe advocates.

Successful improved-adobe housing projects have also been reported in Guatemala (Rhyner 2003), in Colombia, Peru, Ecuador and Bolivia (INSAFORP 2001) and in Peru (PUCP 2000).

Attitudes to Adobe Reconstruction

Communities

In many damaged communities, residents would prefer to live in temporary accommodation rather than live in adobe houses. A common response in rural communities to questions about adobe housing was "*el adobe no sirve*" (adobe doesn't work). This fear is understandable considering the widespread destruction of adobe houses in the earthquakes (**figure 6**), but most local residents are unaware of systems of improved-adobe construction. When such systems are discussed, the response varies from keen interest to strong skepticism.

In communities where improved-adobe construction has been promoted, demonstrated, and implemented there is a newfound confidence in adobe and the strength and solidity of the homes. However, some organizations have faced significant challenges in the promotion of improved adobe, with some communities uninterested in such improved systems. This raises the important development question of how much promotion and convincing should be undertaken, and how much should be left to the interests and motivation of the communities to welcome and support such initiatives. In the case of improved adobe, there is a necessary component of promotion because the technology is relatively unheard of. After such promotion, the interest and organization of the community should determine the degree of further action, if any, to be taken. Further action may involve workshops, training programs, construction of a model building, and/or implementation of a housing project and will be dictated by resource availability and the interests and needs of the beneficiary community.

Government of El Salvador (GOES)

In the aftermath of the earthquakes, the Government of El Salvador (GOES) focused its housing activities on construction using modern materials, rather than any adobe reconstruction efforts. This is consistent with the GOES' approach to adobe housing, which has remained somewhat inert in recent times, despite some limited action in both support and opposition to adobe use. In 1946 a legislative decree stated that adobe structures were an inappropriate form of housing, particularly in the metropolitan area. It was asserted that adobe structures could not adequately resist seismic activity, although this decree passed unnoticed outside the metropolitan area (*La Prensa Grafica* 2001). Since the 1946 decree, the GOES has acknowledged the long-term prevalence of adobe housing in El Salvador and the need to reduce the vulnerability of these structures.

In 1997, the GOES, in collaboration with the Salvadoran Association of Engineers and Architects (ASIA), produced an adobe supplement to the El Salvador building code, RESESCO. The supplement was provided as a guideline for improved-adobe construction and is discussed in greater detail later. Unfortunately, the potential value of the adobe RESESCO supplement has been somewhat diminished by the lack of significant follow-through activities to support or disseminate the ideas presented. Both these historic developments indicate the GOES' awareness of the vulnerability of adobe housing to earthquakes and demonstrate their interest in reducing this hazard, but to transform this interest into affirmative action the government must allocate funds to support promotion, skills training and institutional development. Specific recommendations are discussed later.

The vulnerability of traditional adobe to earthquakes may, however, explain some hesitation from government departments to embrace improved-adobe construction. One adobe advocate suggested that although the GOES Vice-Ministry of Housing and Urban Development (VMVDU) was not outwardly enthusiastic about adobe construction, at least they were not opposed to it! It appears that the GOES prefers to focus on rapid construction using modern materials and leave the promotion and implementation of improved adobe to the NGO sector.

Some observers have suggested that more local government involvement has been required in the reconstruction process. It seems reasonable that local government should play a significant role, particularly in relation to adobe construction where isolated rural communities have tended to be cut off from large programs coordinated from government offices in San Salvador. This shift towards a local focus also fits with the GOES intent to decentralize government operations, particularly relating to hazard reduction and risk mitigation

(UNDP 2001; Wisner 2001). In fact, within the GOES structure there already exists an agency that is responsible for the development and training of municipal councils in El Salvador. It would seem fitting that this agency, ISDEM (*Instituto Salvadoreño de Desarrollo Municipal*), would be the ideal mechanism for increasing adobe promotion and improving the capacity of local municipalities to support improved-adobe construction initiatives. Recognizing this need and the opportunity available in the aftermath of the earthquakes, ISDEM prepared a draft manual on improved-adobe construction and planned some training for municipal governments, but their progress has been halted by a lack of funding.

Media

In the aftermath of the earthquakes the mistrust of adobe was represented in the mainstream media, with several articles calling for the phasing out of adobe construction and blaming the extent of the damages on adobe as a construction material. These articles were a significant setback for the pro-adobe movement, but gradually the tone of the media changed. By March 2001 pro-adobe articles were being published that referred to improved-adobe techniques and the performance of the houses constructed prior to the earthquakes. These articles used experts to explain the technical and social aspects of adobe housing (**figure 18**).

The adobe cause was also aided by the release of damage statistics by DIGESTYC (2001), which revealed that concrete and *mixto* houses were not immune to damage (**figure 6**). These statistics supported a shift in the focus of discussion from the material used to the quality of construction and maintenance, with one engineer commenting, "the problem is not the earth [construction], but rather how it has been used" (*El Diario de Hoy* 2001).

Non-Governmental Organizations (NGOs)

With minimal active support from the GOES, the responsibility for improved-adobe construction has been assumed by the non-governmental organization (NGO) sector. Local and international organizations are involved in improved-adobe research, promotion, training and construction. Levels of action vary, with some groups working to increase the profile and awareness of improved adobe to other institutions, and others working at a grass-roots level within the communities.

Increasingly, improved adobe is being seen as a viable alternative for medium-scale construction projects that have tended to focus on concrete block or *mixto* construction. In many cases, organizations without a strong construction background have become involved in postearthquake adobe housing projects because improved adobe is aligned with the organization's social, environmental and cultural objectives.

A key problem facing organizations involved in improved-adobe housing projects is time. Adobe construction is slower than concrete block or *mixto* construction, particularly when new techniques are being developed and demonstrated. Most of the improved-adobe construction projects visited as part of this investigation were behind schedule or had taken longer than expected. This can be partly attributed to the lack of experience and precedent in medium or large-scale improved-adobe housing projects. In many cases, however, the slowness of construction has enhanced the learning of the organizations, with appropriate changes in design and implementation being undertaken as required.

Organizations involved in improved-adobe promotion and construction must tread the fine line between the effective promotion of safer homes and systems and unreasonably building up the expectations of the residents about the safety of their homes. This can be observed in the names organizations give to their improved-adobe systems: some systems are referred to as "seismically resistant adobe" (*adobe sismorresistente*), others as "safe adobe" (*adobe seguro*), and others as "improved adobe" (*adobe mejorado*). In spite of the short-term promotional advantages of claims of high degrees of earthquake resistance, there is a great danger in "over-selling" improved adobe. Low education levels combined with a general acceptance of the opinions of 'experts' leave the local population vulnerable to developing unrealistic expectations.

EL PAÍS

El Diario de Hoy elpais@elsalvador.com

La mayoría de casas destruidas por los terremotos de 2001 era de adobe. En ellas no se aplicaron adecuadas técnicas de construcción.

EL ADOBE

Técnicas para un uso seguro

Las casas no se caen por ser de adobe, sino por estar mal construidas. Pero pueden ser mejores

18%
SIN CASAS

▼ Los terremotos dejaron sin vivienda a cerca de un millón cien mil personas (el 18 por ciento) de la población.

60%
DÉFICIT DE VIVIENDA

▼ Antes de 2001, el déficit de vivienda era de cerca del 40 por ciento. Para marzo de ese año, subió a cerca de 60 %

Alonso Rivera
El Diario de Hoy

Cada casa construida es parte de un taller de capacitación. Es el principio bajo el cual, Atlas Logistique, una entidad francesa, ha edificado ya más de mil seiscientas a personas que las perdieron durante los terremotos.

Atlas Logistique no trabaja sola. Tiene como contrapartes internacionales y locales, a diferentes instituciones, entre ellas la Unión Europea, Cáritas Internacional y varias otras.

Aunque es una actividad que desarrollan continuamente, su prioridad no es construir casas.

Es, más bien, capacitar a otras personas para que al edificarlas, lo hagan de forma segura y adecuada.

Esperan que su acción se convierta en un proyecto permanente y eficiente a nivel nacional.

Jean Pierre Bremaud, jefe de Atlas Logistique El Salvador, piensa quienes intervienen en proyectos de desarrollo, ben sustituir los concep de "terremoto", "pobrez "vulnerabilidad, que ge ran impotencia, por los "prevención", "dignidad "técnicas de reconstr ción", ante las que ya pueden encontrar oportunidades de acció

El trabajo

Los estudios hechos la institución después d terremotos, les permi definir que en la mayo de viviendas que se rrumbaron, el factor mún fue haber sido co truidas sin aplicar técni básicas y la falta de man nimiento.

Atlas Logistique de rrolla programas de ca citación en construcci Con ello tratan de orien en el uso de técnicas a

PASA A PÁG. SIGUIEN

Figure 18 *Pro-adobe newspaper article (El Diario de Hoy 2001).*

Funding for Reconstruction

International funding for reconstruction has been offered by governments and private organizations from Asia, Europe, North America, South America and the Pacific region. USAID reported that international donors had pledged US$1.2 billion and the GOES had allocated US$260 million of its own funds to earthquake rehabilitation and reconstruction (USAID 2002b). Earthquake losses were considered under the four main sectors: social (education, health and housing); infrastructure (electricity, transport, water and sanitation); production (agriculture, fishing, industry, commercial and tourism); and environment. Rehabilitation and reconstruction funding has been directed to these areas, as well as towards risk mitigation, emergency preparedness and improving institutional capacity.

The inclusion of improved-adobe projects in the reconstruction process is dependent on the availability of funds. Two key donors (USAID and ECHO) are profiled below, with attention to the challenges and opportunities for adobe projects within the constraints of each funding source.

USAID

A contribution of US$170 million from the United States Government was planned for the fiscal years 2001 and 2002 to support general earthquake reconstruction in El Salvador (USAID 2002a), with the distribution and management of these funds overseen by USAID. In the immediate aftermath of the earthquakes, USAID supported the emergency relief effort and provided funding to several U.S. private voluntary organizations (PVOs) for the construction of 22,000 temporary accommodation units.

As part of the restoration of community infrastructure, the USAID permanent housing reconstruction program has been undertaken in three distinct phases. On May 18, 2001, USAID and the GOES signed an agreement for reconstruction of damaged infrastructure, including schools, clinics, markets, and houses. Under this agreement, the GOES entity FONAVIPO was responsible for the construction of 3,050 houses for earthquake victims (USAID 2002c). Also in 2001, USAID signed agreements with six U.S. PVOs for the construction of 4,300 permanent houses (USAID 2002c). In these early agreements, USAID stipulated that concrete block was the required material for housing construction.

On February 25, 2002, USAID issued a Request for Applications (RFA), which invited organizations to submit proposals for housing construction projects for earthquake victims (USAID 2002c). US$50 million was allocated for the construction of 13,000 permanent houses, which equates to an average all-inclusive unit cost of US$3,846. The RFA detailed specific requirements relating to housing beneficiaries and site selection, geographic focus, housing design, water and sanitation needs, environmental concerns, risk mitigation measures, and coordination with local institutions. Selected components of the RFA have been reproduced in **table 6** and **table 10**. The RFA requirements are representative of those considered by many aid agencies when assessing potential reconstruction projects. If improved adobe is to prosper as a viable construction material for large-scale agency-supported housing projects, then these features must be adequately addressed.

Providing acceptable evidence to "*demonstrate* that it complies with the building codes established in El Salvador and the general requirements established in the RFA" (USAID 2002d) seems to be the most significant challenge for improved-adobe construction. First, the technical specifications of adobe must be presented by drawing upon rigorous and credible assessments (real and virtual simulations, evaluation of earthquake damage and controlled testing). This is difficult because of dispersion of information, the relative lack of resources allocated to adobe research (compared to modern materials) and the inherent variability of each adobe component (soil composition, masonry configuration, construction techniques). Second, the relevant building code is the adobe supplement to the Salvadoran building code (RESESCO), but the supplement is a general recommendations document without legal endorsement. The specific features of the RESESCO adobe supplement are discussed in greater detail later.

Table 10 *Adobe compliance with RFA requirements*

RFA Requirements (USAID 2002c)	Challenges for Adobe	Opportunities for Adobe
• Projects must finish within 18 months of award agreement. 500 units is the minimum number of houses per project.	• Lack of precedent in large-scale adobe construction. • Generally slower construction process (compared with modern materials).	• Increased experience and improved systems will enhance the feasibility and possibility of large-scale improved-adobe projects. • Adobe blocks could be made in a central location in advance.
• Funding is awarded on a competitive basis, therefore cost effectiveness is a key consideration.	• Lack of detailed economic data of real costs of adobe construction. • Labor costs may be higher, due to longer construction timeframe.	• Adobe is a cheaper construction material. • Fabrication of blocks may be undertaken by beneficiaries.
• Must be feasible and appropriate given the local context and culture.	• Cultural shift from traditional to modern materials (**figure 2**).	• Adobe is a traditional and common construction material in El Salvador (**figure 2** and **figure 3**).
• Must be designed to avoid extreme temperatures inside of the houses (considering El Salvador's tropical climate, with average temperature ranges between 15.6°C and 36°C).	• The use of a light roof, as recommended for improved-adobe construction, often has poorer thermal properties.	• The thermal properties of adobe are excellent.
• Must comply with recognized local and international technical specifications such us RESESCO, ASTM, ACI, AISC or others.	• Assessing and proving compliance. • Integrity of specifications. (i.e. are they rigorous enough?) (These aspects are discussed in greater detail below.)	• Current improved-adobe design and construction seems to satisfy relevant specifications (RESESCO, IAEE).
• Must have long lasting durability with a life expectancy of at least 25 years.	• Assessing and proving durability of new materials (e.g. bamboo reinforcement). • Training in proper maintenance.	• Adobe has proven to be a durable material if adequately constructed and maintained.
• Must be a fire retardant.	• Timber roof structure is susceptible to fire damage.	• Adobe has excellent fire retardation properties.
• Must consist of materials easy to repair, maintain and remodel using low cost products available in the local market and without requiring specialized skills.	• Training in proper repair, maintenance and remodeling.	• Adobe has a strong advantage over other construction materials in this requirement.

Table 10 *Adobe compliance with RFA requirements (continued)*

RFA Requirements (USAID 2002c)	Challenges for Adobe	Opportunities for Adobe
• Must be made of materials that will withstand humidity, mildew, and termite and other insect intrusion.	• Assessing and proving the resistance capacity of new materials (e.g. bamboo reinforcement). • Protection of walls requires continuous maintenance and attention.	• Adobe can be protected from erosion and animal attack. Some systems include: plinth, damp-proof course and wall coating (using combinations of soil, cement, sand, lime, bitumen, straw, cow dung, cactus glue and natural oils).
• Encourages strong cooperation with the GOES and local and international institutions.	• Potential involvement with groups who may not support adobe construction.	• Increased opportunity to enhance the profile and acceptance of adobe, with endorsement from other institutions.
• Only U.S. companies or U.S. private voluntary organizations (PVOs) are eligible for USAID funding.	• Non-U.S. local and international organizations that may have experience in adobe construction are not eligible.	• No specific opportunities for adobe.
• Emphasis on good environmental practice and review.	• Potential impacts of using significant quantities of soil from one location.	• Adobe is a natural, recyclable, renewable, low-energy material.

ECHO

The European Commission Humanitarian Aid Office (ECHO) called for proposals in early March 2002 to undertake a training program for improved housing construction focusing on the use of traditional materials such as adobe or *bahareque*. The project was designed to target isolated rural areas with an acceptance of traditional building practices. The training component was described as "training of bricklayers and community volunteers in anti-seismic building techniques using adobe as a material" (ECHO 2002a). In late April 2002, ECHO announced that 528,000 Euros (US$475,000 at that time) had been allocated for this purpose (ECHO 2002b).

The ECHO call for proposals document identified the key shortcoming of the national reconstruction program as being the inability to satisfy the housing needs of the entire affected population, with those in isolated rural communities the most likely to be unaided. Whilst the ECHO document acknowledges the immediate housing needs, its approach for this project has been to focus on increasing the capacity of the affected population to assist themselves. This sustainable development approach has provided a tremendous boost to the efforts of those promoting the use of traditional housing materials. ECHO has clearly indicated its support for skills-building exercises that are required to reduce the vulnerability of local housing without increasing the dependence on ongoing external assistance. Although the funding represents only 1% of the recent USAID housing support, it is seen as a strong endorsement of improved-adobe construction.

The ECHO funding was awarded to the French NGO Atlas Logistique who have been involved in post-earthquake improved-adobe housing construction projects in El Salvador (**figure 19**). Details of the process and progress of the ECHO-funded training program as well as other Atlas Logistique construction projects are presented later.

Figure 19 *Improved-adobe house, Atlas project.*

Other Funding Sources

Organizations involved in improved-adobe construction have received support from international donors who have recognized the importance of adobe in the reconstruction process. Funding and support for improved adobe has come from Australia, Canada, Cuba, the European Community, France, Germany, Ireland, the Netherlands, Peru, Spain, the UK, the USA, and other countries. These donors have also generally acknowledged the fledgling status of improved adobe and placed fewer restrictions on the projects, particularly relating to the project timeframe. A number of organizations noted the importance of this flexibility as they developed project timelines and experimented with different approaches to construction.

Adobe Seminars and Training Programs

Apoyo Urbano

In late April 2001, the NGO *Apoyo Urbano*, in collaboration with the French Embassy of El Salvador and local institutions CONCULTURA and COMURES, conducted a discussion workshop on reconstruction with geo-materials (Hays 2001). The workshop was attended by 44 representatives from local and international NGOs and institutions, including the GOES and Salvadoran universities. The workshop discussions related to housing reconstruction in El Salvador, the use of traditional building systems and the revival of damaged cultural heritage.

In early May 2001, *Apoyo Urbano*, again in collaboration with the French Embassy of El Salvador, CONCULTURA and COMURES, promoted a presentation by the French geo-materials expert Alain Hays of GEOdomus International. Hays had been involved in improved-adobe construction projects in El Salvador in 1994, and had spent the two weeks prior to the presentation visiting affected areas and participating in workshops and discussions. An estimated 170 to 200 people attended the presentation, representing governmental and non-governmental institutions, as well as university delegates, scientists and professionals (Hays 2001). Hays discussed aspects of the earthquake effects on buildings in El Salvador and the use of geo-materials in the construction of seismically resistant structures.

INSAFORP

In early May 2001, the *Instituto Salvadoreño de Formación Profesional* (INSAFORP) conducted a two-day adobe training and promotion seminar in San Salvador. The seminar was supported by the GOES and designed to increase the promotion of adobe among institutions. It was run by two adobe experts (Daniel Torrealva and Francisco Ginocchio) from the Catholic University of Peru. About 150 people attended the seminar, representing universities, institutions and NGOs (INSAFORP, personal communication 2002).

UCA

In July 2001, the *Universidad Centroamericana "José Simeón Cañas"* (UCA) hosted a series of seminars on adobe construction in El Salvador to share ideas, experiences and technical details about improved adobe. The seminars were attended by representatives from local government municipalities, the GOES, and NGOs. Some participants suggested that the seminars were a good introduction to the principles of improved adobe and were an effective medium for the transfer of information, but others reported some secrecy and competitiveness between institutions that prevented a transparent discussion of the successes, failures, and approaches of different projects. The lack of beneficiary involvement was also noted, with the venue of the seminars (UCA in San Salvador) cited as restricting the participation of interested parties from affected areas across the country.

Atlas Logistique – ECHO

The ECHO-funded Atlas Logistique project was due to start in May 2002 and run for nine months, with initial plans to construct 150 community buildings in 150 different communities as part of the training program. It was anticipated that each community project would run for three months and include preparation, training, and construction of a community building (clinic, hall, cultural centre). Community members were invited to participate in the training program and work groups were organized, with each group working one or two full days each week. The objective of this rotation system was to allow each participant to be involved in each stage of the construction process, while not totally disrupting their normal activities and commitments. Atlas identified the need to maintain some flexibility with the construction methods and materials, and in each community, they sought to utilize the available resources. To this end, the Atlas training manual is a simple illustrative document that presents the general principles of improved-adobe construction, but does not contain detailed technical information. The design and construction of the community buildings as part of the training program follows the same method as the Atlas Logistique housing projects, the features of which are described in **Appendix C.**

ISDEM

The *Instituto Salvadoreño de Desarrollo Municipal* (ISDEM) is part of the GOES and is responsible for strengthening the institutional capacity of local government (municipalities) in El Salvador. They are involved in training and support programs and see the reconstruction process as an opportunity to rebuild not just damaged infrastructure, but also institutional structure. Representatives of ISDEM revealed that they have produced an improved-adobe construction manual, and have planned to undertake an improved-adobe training program involving earthquake-affected municipalities. Despite strong interest and demand, they are having difficulty obtaining funding for this program. This is disappointing, because municipalities provide a strong link to local communities and play a pivotal role in the reconstruction process.

Adobe Publications

Asociación Equipo Maíz Adobe Manual

On April 5, 2001, *Asociación Equipo Maíz* released a Spanish-language adobe construction manual entitled *La Casa de Adobe Sismorresistente* (the seismically resistant adobe house). This manual was a collaborative compilation, involving the efforts and support of technicians, engineers and architects from local and international organizations. The book is a user-friendly guide to building an adobe house with improved seismic resistance (**figure 20**). Three thousand copies of the manual were produced, and up until February 2002, half had been distributed to NGOs, community groups, and municipalities. Equipo Maíz is an established and well respected organization and this has aided in the promotion and acceptance of the book and its ideas. The manual consists of an introduction and three chapters: 1) about adobe, earthquakes and other doubts; 2) manufacture of good adobe blocks; and 3) construction, including materials and tools required, site selection, setting out the site, foundations, reinforcement, plinth, walls, mortar, lintels, ring beam, roof, and wall finish. **Appendix B** shows the technical design specifications presented in the *Equipo Maíz* adobe manual.

The manual is an excellent training resource, with many sound suggestions relating to improved-adobe construction, which includes the input and support of many esteemed professionals. It is also a very timely publication, having been prepared and produced in rapid response to the devastation of the earthquakes. The book is very visual, containing excellent drawings that are both engaging and informative. The illustrations reflect the cultural, political and social features of El Salvador and allow the local population to identify with the issues presented. The detailed illustrations are considerate of those with limited literacy skills. The manual is very affordable (US$2.86), and does not hesitate to present the social and political aspects of the reconstruction process and of adobe construction.

The main limitation of the book is that it lacks technical depth and detail, particularly in the latter sections. Most notably, only one page is dedicated to the roof, and no details are given about the roof structure and the very important ring beam-roof connection. It is feared that the mix proportion suggested in the manual ("one bag of cement per twelve wheelbarrows of soil" [less than 3% by mass]) may produce inferior blocks. Experts recommend that several trial blocks of different mix proportions be manufactured and tested prior to the fabrication of large quantities of stabilized blocks. Furthermore, cement-stabilized blocks should be wet cured for at least the first seven days after fabrication.

Some observers have suggested that the *Equipo Maíz* adobe manual has lost some of its value as a construction manual because of the strong political and social commentary. The book contains comments and illustrations that level criticism at the upper class, the GOES, banks, the construction industry, and property developers.

RESESCO Adobe Supplement

The El Salvador building code, *Reglamento Para la Seguridad Estructural de las Construcciones* (RESESCO) was published in 1994. In 1997 an adobe supplement was produced that provides a set of recommendations for adobe design and construction. Because adobe construction is undertaken in an unregulated manner, particularly in rural El Salvador, it is natural and reasonable that the recommendations contained in the supplement are not legally enforceable. This feature does, however, raise the question of whether buildings constructed in accordance to the RESESCO adobe supplement satisfy the requirements of some institutions (e.g. USAID) that designs and materials comply with local building codes. Among its strengths, however, are many practical and effective suggestions for improved-adobe construction that are consistent with accepted international guidelines. The supplement was prepared by experienced and respected individuals representing local universities and public and private institutions.

The main limitation of the guideline is the lack of detail relating to the important connections between wall, ring beam and roof structure, as well as the lack of emphasis on overall aseismic building configuration. The supplement is presented more as a general construction manual than a detailed building code. A reader may presume that the contents represent the only acceptable form of improved-adobe construction, when in fact many suitable variations exist.

Other Publications

A number of other improved-adobe publications are being circulated in El Salvador. These include simple construction manuals to accompany training sessions (such as those by Atlas Logistique 2002), manuals from Cuba (Peréz 2001) and Peru (*Reglamento Nacional de Construcciones* 2000) and manuals by the International Association for Earthquake Engineering (*Guidelines for Earthquake Resistant Non-Engineered Construction* 1986). Key outcomes of significant adobe research around the world have been included in these publications, which provide an important assistance to the reconstruction process in El Salvador.

Figure 20
Title page of Equipo Maíz adobe manual (2001).

Improved-Adobe Construction Projects

Medium-scale projects of up to 40 houses are being undertaken in earthquake-affected areas, with the primary objective being the provision of permanent houses for affected families. The secondary objective of these projects is the promotion of adobe as a building material and the training of participants in improved-adobe construction. Organizations involved in medium-scale adobe housing projects include ASDI, Asociación El Bálsamo, Atlas Logistique, FUNDASAL, Trocaire Ireland, and UNES. The design and construction specifications for various projects are presented in **Appendix C**.

Small-scale projects consist of the construction of one to three buildings to serve as community facilities or individual houses. The main objective of these projects is the promotion of safer adobe building practices and the training of participants in improved-adobe construction. Other important objectives include the provision of community infrastructure (community hall, cultural centre, clinic, or child-care center) or housing for vulnerable families, as well as the opportunity to assess the values and limitations of improved adobe. Organizations involved in small-scale adobe construction projects include Expedition El Salvador, Fundación Böll, Las Melidas, OIKOS, UCA, UNES, and others.

Generalized design and construction specifications of adobe projects in El Salvador are presented in **table 11**. The information presented is based on site visits (discussions, field notes, photographs) and the review of construction plans and other documentation relating to the projects, combined with external research. Detailed information is then presented in a case study of a child-care center building project in a small rural community.

Strengths

Each project and organization has various advantages and disadvantages. Some of the strengths of different improved-adobe housing projects include the following:

- In-depth promotion and training program prior to commencement.
- Construction in existing community, on beneficiary land, with access to services and facilities and little disruption to community structure.
- Model house built first to demonstrate the technique and train builders and beneficiaries.
- Beneficiary involvement in aspects of project design, construction, and management.
- Strong community interest and participation.
- Working in a community with long-term involvement with the organization.
- Local organization with background and experience in community adobe construction.
- Cheap, simple, and relatively fast construction.
- Focus on utilizing locally available soil for block fabrication.
- Good consistency of materials.
- Excellent supervision and quality control.
- Strong focus on training and capacity building.
- Good environmental considerations in construction.
- Provision for house extension.
- Improved rain protection offered by four-pitch roof.
- Capability to build roof structure quickly, to serve as immediate shelter, with permanent walls added later.

Limitations

Some of the limitations of different improved-adobe housing projects include the following:

- Problems with community organization and willingness to participate. Recommendation: allocate adequate resources to facilitate community involvement in the project.
- Slow construction timeframe. This is expected to improve as organizations gain experience in the management of adobe projects.
- Significant logistical problems, including transporting water into the community.
- No horizontal reinforcement in the foundation; therefore no transfer of forces from vertical reinforcement to foundation and ground.
- Potential creation of cracks or weaknesses by using a machete to hack voids for reinforcement in blocks. Voids can be easily included in the moulds.

***Table 11** Generalized design and construction features of improved-adobe housing projects in El Salvador*

Location	Constructed in existing communities on beneficiary land, or in newly established communities.
Labor	Beneficiary work groups
Supervision	Technician, foreman and/or engineer
Initial training	Varies from a simple discussion workshop to the construction of a model house.
Dimensions	Internal dimensions ranging from 16 to 30m^2.
Foundations	Made of rocks and sand-cement mortar, with or without reinforcement. Foundations tend to be 30-50cm deep and 40-60cm wide.
Plinth	Made of rocks and sand-cement mortar, without reinforcement. Plinth dimensions are in the order of 15-30cm high and 30-40cm wide (**figure 21**).
Damp proof course (DPC)	A layer of plastic sheeting is sometimes placed between the plinth and the mortar that beds the first course of adobe blocks.
Adobe soil	May be sourced locally or imported from neighboring areas. Various mix proportions of soil are used and in some cases straw is added to the mud.
Mortar joints	2-3cm thick.
Vertical reinforcement	Usually consists of local reed or bamboo (vara de castilla or bambú) at distances between 48 and 80cm. This reinforcement extends from the foundation or plinth to the ring beam (**figure 21**).
Horizontal reinforcement	Usually consists of split reed or bamboo in a ladder configuration, placed in mortar joints every two or four courses (**figure 22**). In some cases, the horizontal reinforcement is replaced by a continuous, reinforced ring beam at the mid-height of the wall.
Walls	Generally 30cm wide, except in the case of Atlas projects, where walls are 40cm wide.
Pilasters	Generally incorporated at corners and intermediate locations in long walls. Pilasters in some projects are as small as 16cm, others are 32cm and the largest pilaster size is 42cm.
Lintels	Made of timber, reinforced concrete or reinforced soil-cement.
Ring beam	For some projects ring beams consist of molded, soil-cement "channel" blocks containing continuous reinforcement (bamboo or steel bars) and filled with a soil-cement or sand-cement mix (**figure 23**). In other cases, formwork shuttering is erected, reinforcement placed and the form filled with a soil-cement or sand-cement mix.
Ring beam – Wall attachment	Generally provided by some form of wire connection between the vertical reinforcement and the ring beam reinforcement.
Roof – Ring beam attachment	Provided by wire strapping or pins connected to the ring beam reinforcement. The exception to this is the Atlas design, where the roof is an independent structure with no connection to the walls or ring beam.
Roof structure	Timber or steel C-sections. May be a one, two or four pitch roof.
Roof cover	Varies from zinc alum lamina sheeting to microcement tiles.
Gables	Variations include adobe, bamboo, timber, open (none).
Wall cover	Options include lime-sand-cement render, lime-soil-sand render, adobe soil render.
Floor	Concrete screed or floor tiles in some cases.

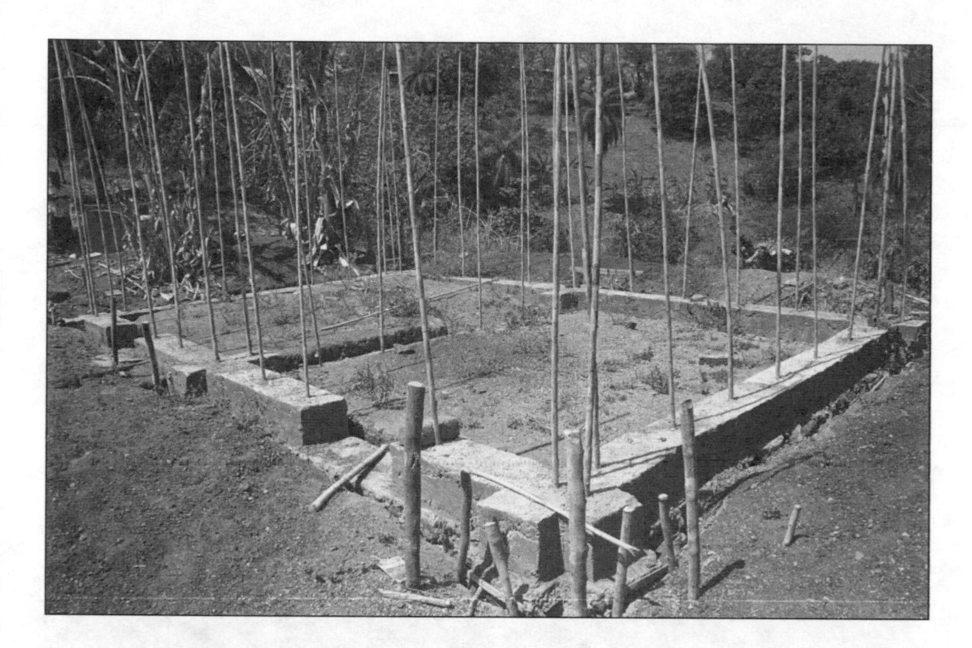

Figure 21
Concrete plinth and vertical bamboo reinforcement, ASDI-Trocaire project.

Figure 22
Vertical and horizontal reinforcement and buttress construction, Atlas project.

Figure 23
Ring beam: molded blocks, steel reinforcement, UNES project.

- Increased complexity caused by varying spacings between vertical reinforcement. This may create problems in the construction phase, and could be overcome by altering the design or issuing detailed construction drawings.
- Protrusion of vertical bamboo bars from ring beam, exposing them to insect attack. Recommendation: cut off bamboo bars prior to the pouring of the ring-beam concrete, thus encasing them in the concrete.
- Single-room houses. One esteemed local engineer recommended that each house should have a minimum of three bedrooms: one for adults, one for boys, and one for girls. He commented that this would reduce the incidence of child abuse, a serious problem in some areas.
- Minimal resistance to roof uplift provided by the common wall-ring beam attachment systems. Weak attachment between the vertical reinforcement and the ring beam reinforcement only resists horizontal shear movements (**figure 23**). Recommendation: include some form of strapping (wire, nylon, or mesh) to increase the resistance to uplift.
- Open gables mean houses are not secure from intruders. Recommendation: design and build houses to be fully secure.
- Exposed wall at rear of house due to single-pitch roof.
- Additional complexity and cost of four pitch roof.
- Additional expense due to individual structure (timber columns) to support roof.
- Vulnerability of timber columns (placed in the ground) to attack by insects.

Figure 24
Child-care center under construction, Expedition El Salvador project.

Case Study: Expedition El Salvador, El Condadillo

The Expedition El Salvador project involved the construction of a child-care centre using principles of improved-adobe design and construction. The project was located in the small rural community of El Condadillo, which is in the Municipality of Estanzuelas, situated in the northern part of Usulután. The total project cycle was approximately 11 months (January to December 2002) and the construction component was approximately four months (August to December 2002). The project has had a three-fold benefit: it provided an important community facility (**figure 24**); it served as a hands-on training program in improved-adobe construction, with members of the local community involved in each phase of the construction (**figure 25**); and the project has provided valuable experience and practical information in the technical and social aspects of adobe construction and community development projects. The design and construction specifications for the building are presented in **Appendix D**.

The project began in early 2002, when a group of keen civil and environmental engineering students of Imperial College, London, approached one of their lecturers, Dr. Julian Bommer with the idea of undertaking some form of overseas community development project during their summer break (July–September 2002). Bommer has significant experience and many connections in El Salvador, so the concept of a project involving improved-adobe construction in El Salvador began to develop. In March 2002, the mayor of the Municipality of Estanzuelas visited London in search of support for reconstruction for his earthquake-affected constituents. Mayor Solano met with Bommer and the student representatives and an agreement to work in Estanzuelas was established.

Between March and August 2002, preparation and development of the project continued in El Salvador, the United Kingdom, and Australia. There were community meetings in El Condadillo, fundraising initiatives, preliminary designs, logistics, site allocation, group preparation, and local and international communications (involving community members, municipal government delegates, NGO representatives and university staff and students).

The design of the building combined current improved-adobe construction systems with some new initiatives. The design satisfied seismic design criteria outlined in the *Guidelines for Earthquake-Resistant Non-Engineered Construction* (IAEE 1986) and the RESESCO adobe supplement. The design underwent several changes during the course of the project due to site limitations, community input, new ideas, and lessons learned.

In August 2002, the construction phase of the project commenced. The construction was undertaken by community volunteers and nine students from Imperial College, London, with the support and direction of a Salvadoran builder and the author of this report.

Figure 25
Community training and promotion demonstration, Expedition El Salvador project.

During a five-week period, approximately 2,000 adobe blocks were made (**figure 26**), the site was cleared and leveled, the foundations were laid (excavation [**figure 27**], reinforcement, then rocks and concrete), the plinth was constructed (formwork, then rocks and concrete), and the first layers of adobe blocks were placed. After the students left in mid-September, the walls were completed (**figure 28**), doors and windows were placed, the roof structure for the building and verandah was built, the roof sheeting over the building was positioned, the kitchen area was excavated, the internal, verandah and kitchen floors were poured (concrete screed), and some drainage works were done. The final stages of construction were completed in early December and included placement of the verandah roof sheeting, "polishing" of the walls (water and dust proofing), drainage and landscape works, placement of security mesh in the gables, completion of the latrine, construction of the kitchen wall, and general tidying of the site. In early 2003 efforts were directed toward obtaining electricity and a potable water connection.

The project benefited from being a collaborative venture involving the local community, local government, local nongovernmental organizations, and international institutions and universities (in El Salvador, the UK, and Australia). The direct, in-country construction costs were US$5,000, which included materials, tools and local labor (master builder). These costs were covered by funds from CAFOD UK. Group and additional project expenses were supported by the British Embassy El Salvador, Shell, UK donors, UTS, and participants' personal savings. In-kind donations included tools, materials, equipment, labor, and technical support from Asociación Fe y Trabajo, the community of El Condadillo, GESAL, GOAL, Imperial College of London, the Municipality of Estanzuelas, Melvin Tebbutt, UES, UNES, University of Technology of Sydney, WFP/PMA, and others.

The successful completion of the project was not without challenges. There were some inefficiencies in the preparation and execution of the project, among them an underestimation of the resources (time, labor, skills, support) required, and confusion relating to the distribution of roles and responsibilities among those involved. There were significant site constraints: small, sloped area containing a large tree trunk with an extensive root system, no direct potable water connection, and difficult site access. Furthermore, there was a lack of widespread and consistent community interest and participation, with only a small proportion of the community actively involved.

There were relatively high costs, due largely to the high safety factor adopted for the function of the building (child care center, **figure 29**), uncertainty about the actual capacity of materials and systems, site limitations, and the need to purchase and transport soil. The weather also added to the cost as working in the rainy season limited activities at certain times and required covering the blocks during fabrication, curing, and storage. Several hundred blocks were damaged by the rain over the course of the project.

Figure 26
Block fabrication, Expedition El Salvador project.

Figure 27
Site excavation, Expedition El Salvador project.

Figure 28
Wall construction, showing plinth, pilasters and vertical reinforcement, Expedition El Salvador project.

Notwithstanding the challenges, it is anticipated that safer houses will be constructed in the community in the future, even if only some of the improvement systems are included.

The project yielded valuable lessons:

- Clear terms of reference should be established to clarify the roles and responsibilities of project participants and collaborators.
- A thorough and detailed assessment of the project and community should be undertaken prior to the project. Community needs, interests, and availability should be thoroughly considered and incorporated in the design and management of the project. The community should be involved in all aspects of the preparation and execution of the project.
- A representative of the local municipality should be assigned to the project and all municipal discussions and agreements should involve that representative.
- An active and effective social promoter should be contracted to facilitate community discussion, assessment of needs and interest, preparation of a community contract, and organization of work groups.
- Sufficient time and resources should be allocated to effectively manage the involvement and contribution of project participants and collaborators, particularly when many different individuals and organizations are involved.
- An accompanying design, construction, and maintenance manual should be included in any training program that introduces new systems, such as improved adobe. The manual should be referred to and discussed with participants throughout the construction phase.
- Comprehensive debriefing sessions involving all project participants should be conducted.

Challenges for Improved Adobe

There are a number of challenges associated with the widespread use of improved adobe in El Salvador. Some relate specifically to improved adobe; some are particular to the social, cultural, and institutional features of El Salvador, and others can be considered on an international level. Some of the key challenges for improved adobe in El Salvador include:

- Lack of confidence in adobe as an adequate construction material in areas of high seismicity. This attitude has been promulgated by the generally poor performance of traditional adobe buildings in the earthquakes of 2001.
- Lack of widespread promotion and support of improved adobe. This can be attributed to a number of factors, including limited institutional resources, traditional attitudes, and a large and dispersed target population. Bommer et al. (2002) noted the clear need for the transfer of knowledge relating to improved-adobe construction to "the most isolated and vulnerable rural communities where these [traditional] forms of housing are most abundant and also where they are built with the highest levels of susceptibility."
- Shortage of experience and skill in aseismic design and construction. Improved-adobe construction is not a simple process; some level of experience and skill is required to build an improved structure.
- Resistance to change. New initiatives are often viewed with suspicion, particularly if tangible and practical examples are not available.
- Lack of individual and family resources. Limited resources restrict skills development and the use of better materials and techniques. Current improved-adobe construction systems may be moderately or significantly more expensive than traditional construction, and priority is generally given to basic daily life requirements such as food, water, and clothing.
- Competition from other materials and construction forms that are perceived to be modern and superior. Adobe is often perceived as indicative of poverty, whereas modern materials are symbolic of progress and prosperity. This perception has been supported by engineering companies and cement manufacturers who have discouraged traditional building practices while promoting their own interests.

Figure 29
Child-care center in use, Expedition El Salvador project (Dr Steve Oates, Shell International).

- Increasing levels of aid dependency. The prevalence of agency-supported housing projects in which beneficiaries are given a new house may increase the expectation of outright aid assistance. This means that programs that focus on skills building and the promotion of local, community-based construction may face low levels of interest and support. In the aftermath of the earthquakes, there was much discussion about the large amounts of aid funding reportedly being provided for earthquake reconstruction in El Salvador. These rumors had the effect of raising the expectations of earthquake-affected families that sufficient aid would be available to assist all those in need. Many of these families continue to wait.
- Various Salvadoran sources suggested that an easily forgotten approach and don't-care attitude (*valeverguismo*) is prevalent in El Salvadoran culture that is restricting the capacity to improve the current housing situation and limiting the opportunity to sustainably improve the quality of life.
- 'Short memory' relating to the impacts of natural disasters. Some observers have commented that despite a long history of natural disasters, many Salvadoran people and institutions have failed to take appropriate actions to reduce vulnerability and prepare for future events (Wisner 2001; UNDP 2001; Bommer et al. 2002; local observers 2002).
- Uncertainty relating to institutional consistency and competence (UNDP 2001). This uncertainty may reduce the effectiveness of and commitment to long-term programs of risk mitigation and disaster preparedness. At a local community level, uncertainty has been a sustained feature of El Salvador's past, with the general population exposed to the actions and policies of those with resources and influence.
- Uncertainty relating to some aspects of current improved-adobe construction. Such uncertainties and an assortment of varying opinions may reduce the credibility of improved adobe from the perspective of donors, institutions, and potential beneficiaries.
- Lack of awareness of the importance of maintenance. Adobe is a naturally deteriorating material that requires periodic maintenance to preserve structural integrity. Many of the affected adobe houses were older and poorly maintained buildings that had significantly reduced seismic capacity.

In each of these cases, a single solution does not exist, but rather a combination of promotion, training, and social and technical initiatives is required. Various opportunities and recommendations to offset these challenges are discussed in the following section.

Opportunities for Improved Adobe

A combination of solutions is required to resolve the many challenges associated with the widespread use of improved adobe in El Salvador. These solutions include promotion and training activities as well as the provision of adequate time and financial and human resources.

Promotion

The existence and effectiveness of improved-adobe systems must first be demonstrated to potential users and supporters in order to increase their understanding of and interest in the proposed initiatives. This promotion equates to selling the idea to key stakeholders. The type of promotion should be specifically designed considering the interests, needs and capacities of the target group. To achieve this objective the formulation of promotion initiatives should involve representatives of all stakeholder groups. In each case, promotion should include a detailed discussion of the costs and benefits of any new system.

In local community promotion activities, visual presentations tend to be more effective. It is recommended that the promotion include examples of the improved performance of improved-adobe houses subject to earthquake forces. This promotion may also include a site visit to nearby examples of improved-adobe housing, thus providing a physical entity that will enhance the understanding of the new system. General principles of aseismic design and construction can also be demonstrated using simple models made of cardboard or timber.

One promotion strategy utilized by a pro-adobe Salvadoran NGO involved a display of photographs of well-constructed, modern, and elaborate adobe houses from affluent areas of the USA and other countries, which served to dispel the notion that adobe signifies poverty and hardship. In the case of local community promotion activities, knowledgeable and motivated promotion personnel are required to effectively advocate the idea to communities that may be reluctant to use adobe and suspicious of new initiatives. Local promotion should also include discussion of the importance and process of proper maintenance.

Promotion activities directed at donors, government institutions, and non-governmental organizations should also be tailored to the specific nature of each group. These groups will generally require a more technical and detailed promotion approach and a greater emphasis on the short and long-term impacts. A broad-scale implementation and management strategy should also be discussed.

Effective promotion increases the interest, awareness, and acceptance of improved adobe, which are prerequisites for obtaining local and institutional support for any skills-building training, community construction, and research and development activities.

Training

Training is required to enhance the skills and experience of local artisans and owner builders in improved-adobe design, construction, and maintenance (**figure 30**). Training programs should cover the relevant theory and practical aspects of each component of the process. The most effective training programs include the design and construction of a complete building, and as such, require a significant time period (upwards of three months). This process requires the full dedication and interest of all participants, although provision should be made such that their involvement does not adversely impact their other commitments and activities. Work site rotation rosters and/or payment (cash or food) for work may be considered when establishing a training program. Other priorities take time and energy and in many cases the skills development opportunity in itself provides insufficient impetus for active involvement in a training program. In such cases, other incentives, such as some form of certification, financial assistance, or established future employment prospects may be required.

Naturally, the initial evaluation of the project and community should include a comprehensive assessment and discussion of the specific needs, interests and availability of the participants. Any training program should be designed in accordance with these key community aspects. It is recommended that a workbook or construction manual detailing each phase of the

Figure 30 *Adobe training program, Expedition El Salvador project.*

preparation and construction process be produced to accompany the training program.

The complexity of current improved-adobe construction techniques means that it is highly unlikely that local people with little or no prior experience or skill in building with adobe will become competent builders after participation in a simple skills building project. Certainly, it is hoped that these people will be able to build somewhat safer homes using some of the simpler techniques learned, and at the very minimum there will be an increased awareness of the existence of improved-adobe systems. The successful application of the full range of improvement systems, however, requires a greater level of skill, experience, training, and competence. In the aftermath of the El Salvador earthquakes, several observers called for the formation of an accredited improved-adobe training course or school. This seems reasonable considering the level of formal training and professional development undertaken by certified tradespeople, particularly in developed countries, who must attain a recognized level of competence before practicing in their chosen field. It is recommended that some form of accreditation be issued to artisans who attain a level of competency in improved-adobe construction. It is expected that such certification will improve the future employment prospects for trained builders, in both community-based construction and larger-scale, agency-supported housing projects.

Nikolic-Brzev et al. (1999) noted the value of an organized and structured training program in the reconstruction of Maharashtra, India, following the severe earthquake of 1993. The reconstruction, repair, and strengthening program undertaken in Maharashtra involved the effective transfer of knowledge from national seismic consultants to local artisans and beneficiaries via a team of junior engineers. The program involved the preparation of a detailed reconstruction plan and manual, a series of training sessions, and the construction of model buildings. A key feature of the program was the strong beneficiary involvement in all aspects of the reconstruction. A similar such training strategy would be useful in the reconstruction of El Salvador.

Resources

Adequate resources are essential to develop, support and maintain promotion, training and research activities: time, money, and knowledgeable personnel.

Time

The many challenges facing improved adobe mean that a significant time period is required for improved adobe to become widely used in El Salvador. This lengthy process means that a long-term strategy with future resource allocations is required.

The lessons learned and experience gained during postearthquake improved-adobe activities in El Salvador means that future improved-adobe construction projects will be more efficient due to:

- increased experience, which means that more accurate project timelines and management plans may be prepared and followed;
- an expanded network of designers, promoters, suppliers, builders and managers with experience and skill in the implementation of improved-adobe activities; and
- an improved understanding of the challenges, limitations, and opportunities for improved adobe.

Money

Financial resources can be considered under two broad categories: institutional and family resources. The first category relates to the resources required on an institutional level to fund promotion and training initiatives and support construction and research projects. These resources may come from local or international agencies and must be sufficient to adequately cover the project needs, including personnel, materials, transport, tools, equipment, promotion material and incidentals. Adobe construction is generally cheaper than other forms of construction and this aspect should be exploited. In a global context, funding for development projects is extremely competitive, therefore effective promotion coupled with technical advances and effective project management is required for improved adobe to be a viable alternative to other materials and construction forms.

The second category relates to the financial resources of families who will be using improved-adobe techniques in the construction of their homes. There are two main approaches to reducing the financial burdens of family home construction. The first approach relates to the development and dissemination of low-cost solutions that are within the financial capabilities of poor families. The second approach is a broad-scale reduction of poverty, which would form part of the improved social and human development of the country. This second approach requires long-term development and relies on the sustained efforts of the GOES and supporting agencies.

Human Resources

Skilled personnel are required to undertake the investigation, design, promotion, management, facilitation and implementation of adobe programs. Many aspects of improved-adobe projects are similar to other construction and training programs and require experienced personnel, including social promoters, trainers, designers, technical coordinators, project managers, logisticians, etc. Other aspects require personnel with specialized adobe experience, which is often limited because improved-adobe construction is a relatively new initiative in El Salvador. The formation of an improved-adobe training school, as mentioned above, would significantly boost the capacity of organizations to undertake a variety of improved-adobe initiatives.

Further Research

Research and development in two main areas is necessary to increase the use of improved adobe: (1) the technical aspects of adobe performance (response mechanisms, damage patterns, and component interactions), and (2) the social factors associated with adobe use. Research and development is required to provide evidence that improved systems are effective and that improved adobe is a legitimate construction material in earthquake zones. This evidence is required to enhance the profile of improved adobe and increase the confidence in its use. Research should include the development of systems appropriate to the current and future skills and resource capacities of beneficiary groups. Progress will be made at local, national, and international levels if research and development efforts are coupled with active promotion.

Technical Studies

Significant technical research on improved adobe has been undertaken around the world. Key centers for adobe research and development include the Pontificia Universidad Catolica del Peru; UNAM and CENAPRED in Mexico; Habitat Cuba; GTZ Germany; CRATerre France; IIT in India; UCA and UES in El Salvador; the University of California, Berkeley, and Stanford University in the USA; and the University of Technology, Sydney, Australia. There is considerable value in research undertaken in El Salvador, where the local materials and techniques may be specifically assessed, but the relative lack of resources and testing facilities, including a shake table, in El Salvador presents a significant obstacle to further in-country research. Among the most fruitful research investigations are the following:

- Analysis of earthquake damage in the aftermath of real seismic events. This is the truest indication of seismic response and performance, but is limited because of its unpredictable and variable nature. The main earthquake variables (frequency content, duration and intensity of acceleration, velocity and displacement) as well as the characteristics of the structures (dimensions, materials, age, openings, configuration and quality of construction and maintenance) must be considered.
- Static, dynamic and specialized testing of specimens and models. This experimentation allows specific elements to be isolated and tested individually or as components under controlled conditions (**figure 31**).

Figure 31
Shake table testing of adobe specimens, University of Technology, Sydney, Australia.

The main limitation is that complex component interactions and boundary conditions are difficult to simulate and evaluate.

- Computer modeling, simulation and analysis. The development of a reliable finite element model for adobe would be valuable. A reliable model would allow a greater scope for testing, which has been traditionally limited because of its destructive nature. It is challenging to develop a reliable and accurate constitutive model for a material and construction style that is variable and inconsistent, but an attempt would be worthwhile.

Within these areas, specific research could focus on:

- Individual block characteristics (soil composition, additives, mechanical properties). Significant research has been conducted in this area and various recommendations for the most effective soil mix have been published (RESESCO 1997, Reglamento Nacional, Peru 2000, Pérez 2001, Equipo Maíz 2001). However, detailed information about ideal individual block characteristics has limited value in application because of the great variability of soils and the natural tendency to use locally available soil. Woodward (1996) and Norton (1986) suggest that the most effective way to test the suitability of the soil is to make several test blocks with different soil mixes and cured under different conditions.
- Adobe masonry components (block-mortar and reinforcement-block interactions, mechanical properties). This research is important to isolate and assess key components without the influence of a multitude of external interactions and forces.
- Integrated building systems, including additional elements (reinforcement, plinth, pilasters, ring beam) and different building configurations (dimensions, openings, layout). Research should focus on the interactions between components and the value of improvement systems. This is most important for improving the overall seismic resistance of adobe structures.
- Construction and maintenance quality. This research should focus on practical ways to improve the quality of construction and maintenance, including reducing the complexity of construction techniques and increasing the skills and awareness of local artisans and homeowners.
- Repair and retrofitting techniques. The application of repair and retrofitting systems is an important area that requires significant additional support. In postearthquake El Salvador, there were no organized programs of repair or retrofit, and people were applying various ad-hoc systems that had varying degrees of structural value.

Specific Research Questions from El Salvador in 2002

There were some uncertainties and doubts about various aspects of current improved-adobe construction practices in El Salvador in 2002. It is recommended that these aspects be the subject of future research and development.

- What is the chemical reaction between bamboo/ *vara de castilla* and concrete (as may occur in the foundation and plinth levels, **figure 32**)?
- What is the expected service life of *vara de castilla* or bamboo? Suggestions in El Salvador range from 20 years up to 100+ years (if kept dry) **(figure 32)**.
- What are the advantages and disadvantages of using plastic sheeting as a damp proof course? Some observers have suggested that this low friction membrane may reduce the resistance to shear and overturning forces. Other observers note that this will have a negligible difference because of the large mass of the wall. It has also been observed that the presence of vertical reinforcement provides an effective dowelling system that provides restraint to shear and overturning response.
- How can blocks be made more quickly and efficiently?
- What are the long-term implications of placing straw in the adobe mud? Some observers suggest that it has no long-term deleterious effect, whereas others have indicated that over time the straw will deteriorate, leaving voids and allowing moisture ingress, thus reducing the structural integrity of the blocks.
- What size pilaster is deemed to provide sufficient restraint? Are pilasters necessary at the corners?
- What are the structural advantages and disadvantages of using independent wall and roof structures? Without a complete diaphragm the walls are more vulnerable to collapse (either inwards or outwards).

Figure 32 Plinth, bamboo reinforcement, corner pilasters, Expedition El Salvador project.

The IAEE (1986) suggests that a wall enclosure with rigid roof will restrain the out-of-plane bending of the transverse wall better than a wall enclosure without a roof. Some observers suggested that the ring beam, extra wall thickness and pilasters would adequately accommodate for the lack of roof diaphragm. Some form of diagonal knee bracing between orthogonal walls, however, would provide significant benefits, with minimal additional resource requirements.

- What are the structural and practical factors involved in the adequate connection of additional building elements during future house extensions?
- What are the advantages and disadvantages of building in existing communities versus creating a brand new community?
- What are the real costs of adobe construction? Accurate costs have been difficult to obtain because of project variations and the relatively new nature of improved-adobe housing projects. Accurate cost information is essential to improve efficiency and plan for future projects.

Longitudinal Studies

There would be great value in undertaking another evaluation in El Salvador in several years. This future investigation would assess the implementation of improved-adobe techniques promoted during training and construction programs in the aftermath of the 2001 earthquakes. The following questions would be of particular interest:

- What systems have been successfully adopted as current building practice? Why?
- What systems have been rejected? Why?
- What is the condition of houses built after the earthquakes (including adobe, concrete block, alternative materials, etc)?
- What changes to the housing deficit have occurred? When? How?
- What changes to the proportions of housing materials across El Salvador have occurred? Why?

Another future research investigation could compare the reconstruction activities and processes in El Salvador to those in Bhuj, India, as both experienced severe earthquakes in early 2001 that caused major damage to nonengineered buildings. Some of the cultural and institutional differences and similarities would reveal interesting lessons about earthquake reconstruction.

Postearthquake Studies

In the event of a future major earthquake in El Salvador or another country where adobe is commonly used, the following aspects would be extremely valuable to consider in the immediate aftermath of the event:

- In-depth review of performance of improved-adobe structures compared with traditional adobe, concrete block, *mixto* and other construction materials.
- Compilation of a detailed database of building features (age, location, orientation, configuration,

technical specifications, maintenance undertaken) and structural response (cracking patterns, failure modes). This should be undertaken for both affected and unaffected buildings and include photographs of specific elements. This information would allow a greater understanding of the mechanisms of failure (in-plane, out-of-plane, and oblique-angle response of components and connections) and the role that different systems and features play in seismic performance.

- Assessing the attitudes and expectations of key stakeholders (affected residents, governmental and non-governmental institutions) about the reconstruction process. A deeper understanding of these attitudes and expectations will be useful in the preparation of future reconstruction initiatives.

Conclusion

The El Salvador earthquakes of early 2001 clearly demonstrated the vulnerability of typical housing to the force of earthquakes. The poor performance of conventional adobe houses (the main low-cost, traditional housing form used in El Salvador) has exacerbated the widespread mistrust of adobe as a construction material. Overall, there is a lack of awareness and use of simple systems that can be incorporated into the design and construction of adobe houses to improve seismic resistance. Postearthquake reconstruction has provided a unique opportunity to disseminate this important information. Despite the unprecedented level of modern housing construction in El Salvador since the earthquakes, housing needs still far exceed the supply, and improved adobe is seen as a viable and sustainable solution to this severe national housing deficit.

A number of organizations have recognized the value of improved adobe in reconstruction and have implemented innovative promotion and training activities to assist in the acceptance and application of improved-adobe construction techniques. The high interest in these initiatives signifies their importance. More action, however, is necessary. Many affected families continue to live in temporary accommodations because they lack the information, interest, skills, or resources to build a permanent house. Many people are ineligible to receive support in the reconstruction of their homes, while others are becoming reliant on external aid and losing confidence in traditional housing forms.

The structural properties of adobe (low strength, brittle material) mean that even a well-constructed improved-adobe house will almost certainly suffer extensive damage during a strong earthquake. However, adobe will continue to be the material of choice for a large number of poor families in developing countries, who cannot afford any alternative. Many of the experiences and lessons learned through the process of improved-adobe promotion, training, and construction in El Salvador may be applicable in other developing countries. It is anticipated that this increased activity and understanding will contribute to a reduction in the vulnerability of adobe housing to earthquake damage.

Figure 33 *Improved-adobe model house, FUNDASAL project.*

References

Atlas Logistique, 2002. *Las bases para construir una casa de adobe segura: Manual de capacitación,* Atlas Logistique, El Salvador, 28 pp.

Bommer, J.J. et al., 2002. The El Salvador earthquakes of January and February 2001: context, characteristics and implications for seismic risk, *Soil Dynamics and Earthquake Engineering* 22 (2002) 389-418.

CIA, 2002. The World Factbook *2002* online at: http://www.cia.gov/cia/publications/factbook/geos/es.html (25/02/03)

DIGESTYC, Dirección General de Estadísticas y Censos, 2001. *Censo de viviendas afectadas por la actividad sísmica del año 2001*, Ministerio de Economía, El Salvador.

DIGESTYC, Dirección General de Estadísticas y Censos, 1999. *Encuesta de hogares de propósitos múltiples,* Ministerio de Economía, El Salvador.

ECHO, European Commission Humanitarian Aid Office, 2002a. *ECHO request for the submission of humanitarian assistance project proposals* ECHO 3/HRJ/nf D(2002)2524 Brussels 06.03.2002, 7 pp.

ECHO, European Commission Humanitarian Aid Office, 2002b. online at: http://europa.eu.int/comm/echo/en/whatsnew/volcano.htm (Brussels 30.04.2002)

El Diario de Hoy, 2001. Actualidad: Hacia un adobe seguro (18 de marzo de 2001) San Salvador, p.3-7.

Equipo Maíz, 2001. *La casa de adobe sismorresistente* Asociación Equipo Maíz, El Salvador, 91 pp.

FUNDASAL, 1999. *Materiales y sistemas alternativos de construcción – la experiencia de FUNDASAL,* FUNDASAL El Salvador, 71 pp.

Hays, A., 2001. *Geo-arquitectura en El Salvador: Efectos de los Terremotos del 2001 en el Patrimonio Arquitectónico Tradicional Salvadoreño y Perspectivas de Restauración y Reconstrucción con Geomateriales,* GEOdomus Internacional, 170 pp.

IAEE, International Association for Earthquake Engineering, 1986. *Guidelines for Earthquake Resistant Non-Engineered Construction*, IAEE, Tokyo, 158 pp.

INSAFORP, 2001. Alternativas para la construccion de una vivienda rural de adobe resistente a los sismos, seminar, INSAFORP, El Salvador.

La Prensa Grafica, 2001. Dominical: El adobe de ayer y mañana (4 de marzo de 2001), San Salvador, pp.2b-5b

La Prensa Grafica, 2002. Un año después de los terremotos (13 de enero de 2002), San Salvador, pp.1 - 28

Moreira, R.A., Rosales, J.A., 1998. *Diseño, Construcción y Control de Calidad de Estructuras de Adobe para Vivienda Rural* (Graduation Thesis) Universidad Centroamericana "Jose Simeón Cañas", El Salvador, 369 pp.

NEIC, National Earthquake Information Centre, 2001. on line at: http://neic.usgs.gov/neis (accessed 22/10/01)

Nikolic-Brzev, S., Greene, M., Krimgold, F., Seeber, L., 1999. *Lessons Learned Over Time: Innovative Earthquake Recovery in India,* Learning from Earthquakes Series, Volume II, Earthquake Engineering Research Institute, California, 95 pp.

Norton, J., 1986. *Building With Earth: A Handbook,* Intermediate Technology Development Group Limited, U.K., 68 pp.

Peréz, A.H., 2001. *Manual Técnica para la Producción y Construcción con Adobe Natural*, Habitat-Cuba, 74 pp.

PUCP, Pontificia Universidad Católica del Perú, 2000. *Ingeniería en la PUCP* 2000: 3: pp. 14.

RESESCO, Reglamento Para la Seguridad Estructural de las Construcciones, 1997. *Folleto Complementario: Lineamiento para Construcción en Adobe,* ASIA, San Salvador, 36 pp.

Reglamento Nacional de Construcciones, 2000. *Norma Técnica de edificación con adobe natural NTE*. 080 adobe, Ministerio de Transportes, Comunicaciones, Viviendas y Construcción, Lima, Peru, 35 pp.

Rhyner, K., 2003. Two decades after the earthquake – Experiences to learn from a reconstruction in Adobe in Baja Verapaz, Guatemala ECOSUR, online at www.ecosur.org/eng/desastres/guatemala_earthquake.php (accessed on 21-2-03)

UNDP, 2001. *The Report on Human Development, El Salvador IDHES 2001* UNDP.

UNDP, 2002. Caracteristics de los Hogares, 1992–1999, online at www.desarrollohumano.org.sv/209.html (accessed on 4/7/02).

USAID, 2002a. USAID El Salvador, online at http://www.usaid.gov/sv/ (accessed on 4/12/02).

USAID, 2002b. El Salvador: The USAID Program, online at www.usaid.gov/country/lac/sv/#tup (accessed on 3/7/02).

USAID, 2002c. Request for Applications (RFA) No. El Sal 519-02-A-003. *Fixed Obligation Cooperative Agreements for Permanent Housing Program*, El Sal 519-02-A-03, February 25, 2002, 28 pp.

USAID, 2002d. Modification No. 1 to RFA El Sal 519-02-A-003: Questions and Answers, USAID/El Salvador, March 2002.

VMVDU, Vice-Ministerio de Viviendas y Desarrollo Urbano, 1999. *Política Salvadoreña de Vivienda*, Gobierno de El Salvador

VMVDU, Vice-Ministerio de Viviendas y Desarrollo Urbano, 2001. Riesgo Sismico: Reconstrucción Habitacional - La Experiencia Salvadoreña, Presentation at CENAPRED Mexico, November 2001, Gobierno de El Salvador

Wisner, B., 2001. Risk and the Neoliberal State: Why Post-Mitch Lessons Didn't Reduce El Salvador's Earthquake Losses, *Disasters* 2001; 25(3):251-68.

Woodward, B., 1996. *Mudbrick Notes (2nd Edition)*, Earthways, Australia, 48 pp.

Appendices

Appendix A: List of Acronyms

ASDI	Asociación Salvadoreña de Desarrollo Integral (Salvadoran Association of Integral Development) [NGO]
ASIA	*Asociación Salvadoreña de Ingenieros y Arquitectos* (Salvadoran Association of Engineers and Architects)
CAFOD UK	Catholic Agency for Overseas Development, UK [NGO]
COEN	*Comité de Emergencia Nacional* (National Emergency Committee) [GOES]
COMURES	*Corporación de Municipalidades de la Republica de El Salvador* (Corporation of Municipalities of the Republic of El Salvador)
CONCULTURA	*Consejo Nacional para la Cultura y el Arte* (National Council for Culture and Art)
DIGESTYC	*Dirección General de Estadísticas y Censos* (General Office of Statistics and Censuses) [GOES]
DPC	Damp proof course
ECHO	European Commission Humanitarian Aid Office
ECLA/CEPAL	Economic Commission for Latin America and the Caribbean / *Comisión Económica para América Latina y El Caribe* [UN]
EERI	Earthquake Engineering Research Institute (USA)
FONAVIPO	*Fondo Nacional de Vivienda Popular* (National Fund for Popular Housing) [GOES]
FUNDASAL	*Fundación Salvadoreña de Desarrollo y Vivienda Mínima* (Salvadoran Development and Minimum Housing Foundation) [NGO]
GDP	Gross domestic product
GOES	Government of El Salvador
IAEE	International Association for Earthquake Engineering
INSAFORP	*Instituto Salvadoreño de Formación Profesional* (Salvadoran Institute for Professional Formation)
ISDEM	*Instituto Salvadoreño de Desarrollo Municipal* (Salvadoran Institute of Municipal Development) [GOES]
NEIC	National Earthquake Information Centre (USA)
NGO	Non-governmental organization
NSF	National Science Foundation (USA)
p.a.	per annum
PUCP	Pontificia Universidad Católica del Perú
PVO	Private voluntary organization

REDES *Fundación Salvadoreña para la Reconstrucción y el Desarrollo* (Salvadoran Fund for Reconstruction and Development) [NGO]

RESESCO *Reglamento Para la Seguridad Estructural de las Construcciones* (Regulation for the Structural Security/Safety of Constructions)

RFA Request for applications [USAID]

UCA *Universidad Centroamericana "José Simeón Cañas"*

UES *Universidad de El Salvador* (University of El Salvador)

UN United Nations

UNDP United Nations Development Program

UNES *Unidad Ecológica Salvadoreña* (Salvadoran Ecological Unit) [NGO]

USAID United States Agency for International Development

UTS University of Technology, Sydney, Australia

VMVDU *Vice-Ministerio de Viviendas y Desarrollo Urbano* (Vice-Ministry of Housing and Urban Development) [GOES]

WFP/PMA World Food Program / *Programa Mundial de Alimentos* [UN]

Appendix B: Equipo Maíz Adobe Manual: Design and Construction Specifications

Housing type	*Casa de Adobe Sismorresistente* (Seismically resistant adobe house) (**figure 20**).
Timeframe	No details given.
Collaboration	Families, friends, neighbors.
Costs	No details given.
Supervision	No details / suggestions given.
Labor	Informal: owner-builders, families, friends, neighbors.
Beneficiaries	Local residents, building on own land.
Initial training	No details given.
Dimensions	No details given, 2 rooms shown in illustrations.
Covered area	No details given.
Foundations	60 cm wide, 40 cm deep, rough rocks and 6:1 sand-cement mortar, no reinforcing.
Plinth	30 cm wide, 40 cm high, rough rocks and 6:1 sand-cement mortar, no reinforcing.
Damp proof course (DPC)	Plastic sheeting between plinth and adobe wall.
Adobe soil	40% sand, 40% *tierra blanca*, 20% clay. Left to soak for 24 hours then mixed manually. Some cement-stabilized blocks are recommended for the corners, using a mix proportion of "1 bag of cement for 12 wheelbarrows of soil".
Blocks	Full size: 30 x 30 x 10 cm. Half size: 30 x 14 x 10 cm. Voids for reinforcement included in mould.
Mortar joints	Approximately 2 cm.
Vertical reinforcement	*Vara de castilla* (local reed / bamboo) or bamboo, every 64 cm, from plinth to ring beam.
Horizontal reinforcement	Split *vara de castilla* or strands of barbed wire, every four courses.
Walls	30 cm thick load bearing walls.
Pilasters	16 cm, at corners and intermediate walls.
Lintels	Molded stabilized ("1 bag of cement for 12 wheelbarrows of soil") channel blocks with two 3/8" steel bars, filled with concrete.
Ring beam	Molded stabilized channel blocks with two 3/8" steel reinforcing bars, with 1/4" stirrups.
Ring beam – Wall attachment	Ring beam reinforcement tied to vertical reinforcement and 1/4" steel bars hooked to the lintels.
Roof – Ring beam attachment	No details given.
Roof structure	Light roof suggested. No details given.
Roof cover	Light roof suggested, micro-cement tiles recommended.
Gables	Adobe, but no connection or construction details given.
Wall cover	One layer of adobe soil mix, followed by one layer of lime render.
Floor	No details given.
Provision for extension	No details given.
Other infrastructure	No details given.

Appendix C: Improved-Adobe Projects in El Salvador: Design and Construction Specifications

ASDI – Trocaire: Loma Alta, Usulután

Date of visit	19th April 2002.
Location	Loma Alta, Berlin, Usulután.
Quantity	40 houses.
Housing type	*Vivienda Alternativa de Adobes Sismo Resistentes* (Alternative house of seismically resistant adobe).
Timeframe	August 2001 – end May 2002.
Collaboration	Funding from Trocaire, Ireland, project co-ordination by ASDI.
Costs	US$3,305 / house (includes materials, tools, labor, supervision, etc)
Supervision	1 foreman, 2 assistants. Twice weekly visits from Engineer.
Labor	Beneficiary work groups. Blocks purchased externally.
Beneficiaries	Local residents, building on own land, or land supplied by Municipality.
Initial training	Discussion workshop.
Dimensions	Internal area: Two rooms: 3.23 m x 4.18 m each, plus covered patio: estimated 3 m x 7 m.
Covered area	Internal: 27 m^2. Total: 72 m^2 (estimated).
Foundations	50 cm wide, 50 cm deep, rocks and sand-cement mortar. No reinforcement.
Plinth	32 cm wide, 15 cm high, rocks and sand-cement mortar. No reinforcement (**figure 21**).
Damp proof course (DPC)	None.
Adobe soil	Blocks made off-site using 70% *tierra amarilla*, 30% soil, passed through a sieve. Straw added.
Blocks	Full size: 30 x 30 x 10 cm. Half size: 30 x 14 x 10 cm. Voids for reinforcement included in mould.
Mortar joints	Approximately 2 cm.
Vertical reinforcement	*Vara de castilla* (local reed / bamboo), at 64 or 80 cm spacings, from foundation to ring beam (**figure 21**).
Horizontal reinforcement	Ring beam at mid-height of wall using adobe channel blocks, two 3/8" steel bar and filled with sand-cement mortar.
Walls	30 cm thick load bearing walls.
Pilasters	16 cm, at corners and room divisions.
Lintels	Reinforced concrete lintels, made with shuttering.
Ring beam	Reinforced concrete horizontal ring beam, with three 3/8" steel reinforcing bars, with 1/4" stirrups every 25 cm, made with shuttering.
Ring beam – Wall attachment	Ring beam reinforcement tied to vertical reinforcement (resisting horizontal shear movement).
Roof – Ring beam attachment	Roof structure welded to ring beam reinforcement that has been bent up at buttress locations.
Roof structure	Steel C-section frame. Four pitch roof.
Roof cover	Steel lamina sheeting.

Gables	None (due to four pitch roof).
Wall cover	Lime-sand-cement render.
Floor	Concrete screed.
Provision for extension	No.
Other infrastructure	Building in an existing community. No water system in the community.

Asociación Bálsamo - Trocaire: El Tular, Sonsonate

Date of visit	Meeting, 22nd April 2002.
Location	El Tular, Cuisnahuat, Sonsonate.
Quantity	40 houses.
Housing type	*Vivienda con Adobe Sismorresistente* (House with seismically resistant adobe).
Timeframe	November 2001 – August 2002.
Collaboration	Funding from Trocaire, Ireland, project co-ordination by Asociacíon Bálsamo.
Costs	Initial budget estimate: US$2,615 / house (includes materials, tools, labor, supervision, etc)
Supervision	Three foreman, twice weekly visits from Engineer.
Labor	Five beneficiary work groups (8 people / houses per group).
Beneficiaries	Local residents, building on own land.
Initial training	Discussion workshop and construction of model building with covered patio.
Dimensions	Internal area: Two rooms: large room: 6.74 m x 2.9 m, small room: 3.54 m x 2.9 m, plus covered patio: 3.84 m x 3.84 m.
Covered area	Internal: 30 m^2. Total: 65 m^2 (estimated).
Foundations	45 cm wide, 50 cm deep, rocks and sand-cement mortar. No reinforcement.
Plinth	30 cm wide, 25 cm high, rocks and sand-cement mortar. No reinforcement. Soil-cement mix (8:1 or 6:1) used as mortar between plinth and first course of adobe blocks.
Damp proof course (DPC)	None.
Adobe soil	?
Blocks	Full size: 30 x 30 x 10 cm. Half size: 30 x 14 x 10 cm.
Mortar joints	Approximately 2 cm.
Vertical reinforcement	Bamboo at 48, 64 or 80 cm spacings, from plinth to ring beam.
Horizontal reinforcement	Split bamboo, every four courses, tied to vertical reinforcement.
Walls	30 cm thick load bearing walls.
Pilasters	16 cm, at corners and intermediate locations.
Lintels	Reinforced concrete lintels, made with shuttering.
Ring beam	Molded soil-cement channel blocks with two 3/8" steel reinforcing bars, with 1/4" stirrups.

Ring beam – Wall attachment	Ring beam reinforcement tied to vertical reinforcement (resisting horizontal shear movement).
Roof – Ring beam attachment	Roof structure welded to steel pins attached to ring beam reinforcement.
Roof structure	Steel C-section frame. Two pitch roof.
Roof cover	Duralite fibrocement lamina.
Gables	Bamboo and welded mesh.
Wall cover	Lime-soil-sand render.
Floor	Concrete screed.
Provision for extension	No.
Other infrastructure	Building in an existing community.

Atlas Logistique: 19 de Junio, San Vicente

Date of visit	19th March 2002.
Location	19 de Junio, San Vicente. Also involved in other adobe projects in El Salvador.
Quantity	37 houses (**figure 19**).
Housing type	*Casa de adobe segura* (Safe adobe house).
Timeframe	December 2001 – April 2002 (anticipated).
Collaboration	Construction funding from Atlas. Another organization purchased the land.
Costs	Reported US$387.13 / house (materials only, not including transport or supervision).
Supervision	0.5 engineer, 1 foreman, 7-8 builders, several apprentice builders.
Labor	Beneficiary labor, work groups of 7.
Beneficiaries	Relocated from affected area.
Initial training	Discussion workshop.
Dimensions	Internal area: 6.3 m x 4.0 m, 1 room, plus covered patio: approx. 7 m x 2 m.
Covered area	Internal: 25 m^2. Total: 64 m^2 (estimated).
Foundations	60 cm wide, 30 cm deep, rocks and sand-cement mortar with two horizontal bamboo bars.
Plinth	40 cm wide, 30 cm high, rocks and sand-cement mortar.
Damp proof course (DPC)	None.
Adobe soil	Local soil, approximately 40% sand, 40% silt, 20% clay. Mixed manually or with mechanized mixer.
Blocks	Full size: 40 x 38 x 13 cm. Half size: 40 x 18 x 13 cm. Sun-dried or shade-dried depending on clay content. Voids for vertical reinforcement hacked out with machete.
Mortar joints	Vertical: two fingers (2-3 cm). Horizontal: depends on blocks (2-4 cm).
Vertical reinforcement	Dry bamboo (*vara de brazil*), every 60 cm, attached to bottom foundation and ring beam, extends above wall.

Horizontal reinforcement	Dry bamboo (*vara de brazil*) split in half and formed into ladder configuration, every two courses, tied to vertical reinforcement where possible (**figure** 23).
Walls	40 cm thick walls. Non load bearing.
Pilasters	40 cm, at corners and mid-length of walls, includes vertical reinforcement (**figure** 22).
Lintels	Timber.
Ring beam	Molded adobe channel blocks (same mud mix), with one or two horizontal bamboo bars tied to vertical reinforcing. Channel filled with 6:1 soil-cement (no clay) mix.
Ring beam – Wall attachment	Ring beam reinforcement tied to vertical reinforcement (resisting horizontal shear movement).
Roof – Ring beam attachment	None.
Roof structure	Double pitch. Timber frame supported by 12 timber columns with 50-60 cm deep cement-soil foundations. Columns are offset from the adobe walls and inside the building. Timber (pine) is imported from Nicaragua, due to deforestation issues in El Salvador. Timber is treated with burnt/used oil to minimize insect attack. Timber frame and roof may be erected before or after the walls are constructed.
Roof cover	Zinc-alum sheeting, substantial overhang.
Gables	Open.
Wall cover	1:2:6 cement-lime-sand mix applied to external walls.
Floor	Cement screed, 3:1 or 4:1 sand-cement mix, no reinforcement.
Provision for extension	None.
Other infrastructure	Brand new community. Water from nearby river. Latrines provided by another organization. Electricity to be connected soon. Community centre to be constructed. No school.

FUNDASAL: Santiago Nonualco, La Paz

Date of visit	18th April 2002.
Location	Canton Amulunco, Santiago Nonualco, La Paz. Also involved in other adobe projects in El Salvador.
Quantity	8 houses.
Housing type	*Vivienda de adobe con Sistema Sismo Resistente* (Adobe house with seismically resistant system).
Timeframe	Early March 2001 – mid 2002 (?)
Collaboration	–
Costs	Initial budget estimate: US$853 per base module (materials only, excluding fixtures and fittings).
Supervision	1 builder, periodic visits from Engineer.
Labor	Beneficiary work groups.
Beneficiaries	Local residents, building on own land.
Initial training	Construction of model house: 1 module: 3.22 m x 3.22 m, 1 room, plus covered patio.

Dimensions	2 modules (rooms): 3.22 m x 3.22 m each, plus covered patio (estimated 8 m x 1.5 m).
Covered area	Internal: 21 m^2. Total: 55 m^2 (estimated).
Foundations	45 cm wide, 40 cm deep, rocks and sand-cement mortar, no reinforcement.
Plinth	30 cm wide, 20 cm high, rocks and sand-cement mortar, horizontal bamboo reinforcement.
Adobe soil	3 parts local soil with 1 part nearby clayey soil with chopped straw, mixed manually.
Damp proof course (DPC)	None.
Blocks	Full size: 30 x 30 x 10 cm. Half size: 30 x 14 x 10 cm.
Mortar joints	Approximately 2 cm.
Vertical reinforcement	*Vara de castilla* (local reed / bamboo), every 64 cm, from plinth to ring beam.
Horizontal reinforcement	Split *vara de castilla*, every two courses.
Walls	30 cm thick load bearing walls.
Pilasters	30 cm, at corners and module divisions.
Lintels	Ring beam at lintel level.
Ring beam	Shuttered 10:1 soil-cement horizontal ring beam, with two 3/8" steel reinforcing bars, with 1/4" stirrups every 20 cm. Plus sloped ring beam when adobe gables used.
Ring beam – Wall attachment	Ring beam reinforcement tied to vertical reinforcement (resisting horizontal shear movement).
Roof – Ring beam attachment	Roof structure attached to ring beam by 1/4" steel pins.
Roof structure	Steel C-section frame, single pitch roof.
Roof cover	Micro-cement tiles, front row tied to frame.
Gables	Adobe or *vara de castilla.*
Wall cover	Soil-sand mix, then lime-sand mortar applied to external walls.
Floor	?
Provision for extension	Yes – house design is based on modules that can be extended at a later date by removing blocks in relevant pilasters. The overall design allows for duplication, resulting in a double-pitched roof and four rooms.
Other infrastructure	Building in an existing community, with nearby school, shop, etc.

UNES: San Julian, Sonsonate

Date of visit	7th April 2002.
Location	San Julian, Sonsonate. Also involved in other adobe projects in El Salvador.
Quantity	33 houses.
Housing type	*Una vivienda ecológica antisísmica* (anti-seismic ecological house).
Timeframe	April 2001 - ?
Collaboration	Funding from Federación Luterana.
Costs	?
Supervision	0.5 foreman, visits from engineer.
Labor	Beneficiary work groups.
Beneficiaries	Local residents, building on own land.
Initial training	Discussion workshop.
Dimensions	2 rooms: 2.8 x 2.8 m each, plus covered patio (estimated 7.2 m x 4.5 m)
Covered area	Internal: 16 m². Total: 63 m² (estimated).
Foundations	40 cm wide, 40 cm deep, rocks and sand-cement mortar.
Plinth	30 cm wide, 30 cm high, rocks and sand-cement mortar, no reinforcement.
Damp proof course (DPC)	Plastic sheeting between plinth and adobe wall.
Adobe soil	Imported soil, approximately 40% sand, 40% *tierra blanca*, 20% clay. Mixed manually.
Blocks	Full size: 30 x 30 x 10 cm. Half size: 30 x 14 x 10 cm. Voids for reinforcement included in mould.
Mortar joints	Approximately 2 cm.
Vertical reinforcement	*Vara de castilla* (local reed / bamboo), every 64 cm, from plinth to ring beam.
Horizontal reinforcement	Split *vara de castilla*, every four courses.
Walls	30 cm thick load bearing walls.
Pilasters	16 cm, at corners and intermediate walls.
Lintels	Molded soil-cement (5:1) channel blocks with two steel bars, filled with soil-cement mix (5:1).
Ring beam	Molded soil-cement (4:1) channel blocks with two 3/8" steel reinforcing bars, with 1/4" stirrups every 20 cm (**figure 23**).
Ring beam – Wall attachment	Ring beam reinforcement tied to vertical reinforcement (resisting horizontal shear movement).
Roof – Ring beam attachment	Roof structure tied to ring beam reinforcement with galvanized wire.
Roof structure	Timber, double pitch roof.
Roof cover	Micro-cement tiles.
Gables	Timber or open.
Wall cover	Adobe soil mix.
Floor	Cement screed, no reinforcement.
Provision for extension	Not specifically.
Other infrastructure	Building in an existing community, with existing facilities.

Appendix D: Expedition El Salvador: Design and Construction Specifications

Location	El Condadillo, Estanzuelas, Usulután.
Quantity	One child-care centre.
Building type	*Adobe mejorado* (Improved adobe).
Timeframe	Total Project: January – December 2002. Construction: August – December 2002.
Collaboration	CAFOD UK (in-country construction costs), British Embassy El Salvador, Shell, GESAL, Imperial College London, University of Technology Sydney, Municipality of Estanzuelas + others.
Costs	Direct construction costs US$5,000 (tools, materials, transport, master builder) + in-kind donations.
Supervision	1 Engineer, 1 Builder.
Labor	Local community members, nine student volunteers from Imperial College, London.
Beneficiaries	Local community members.
Initial training	Discussion. Project was designed as a training program.
Dimensions	Internal area: 9.3 m x 3.6 m, 1 room, plus covered patio 12 m x 3.8 m.
Covered area	Internal: 33.5 m². Total: 105 m² (estimated).
Foundations	40 cm wide, 30-40 cm deep, rocks and cement mortar with three horizontal steel bars.
Plinth	30 cm wide, 30 cm high, rocks and cement (**figure 32**). No horizontal reinforcement.
Damp proof course (DPC)	Plastic sheeting between plinth and adobe wall.
Adobe soil	Local and imported soil, approximately 40% sand, 40% *tierra blanca*, 20% clay. Mixed manually.
Blocks	Full size: 30 x 30 x 10 cm. Half size: 30 x 14 x 10 cm. Voids for reinforcement included in moulds (**figure 26**). Voids adjusted as required using a builder's trowel.
Mortar joints	Approximately 2 cm.
Vertical reinforcement	*Vara de castilla* (local reed / bamboo), every 64 cm, to ring beam. Connected to foundation reinforcement by steel L's (**figure 32**).
Horizontal reinforcement	Barbed wire, every four courses. Also chicken wire strips in between top courses.
Walls	30 cm thick load bearing walls (**figure 30**).
Pilasters	32 cm, at corners and intermediate walls.
Lintels	Timber.
Ring beam	Molded soil-cement (7:1) channel blocks with two 1/2" steel reinforcing bars, with 1/4" stirrups every 25 cm. Channel filled with 5:1 sand-cement mix.
Ring beam – Wall attachment	Ring beam reinforcement tied to vertical reinforcement (resisting horizontal shear movement) and to heavy gauge galvanized wire running five courses deep, within the wall (resisting vertical uplifting).
Roof – Ring beam attachment	Galvanized wire continues beyond ring beam and is strapped and stapled to timber roof structure. 1/4" steel pins from lintels are also attached.

Roof structure	Timber, double pitch roof.
Roof cover	Zinc-Alum sheeting.
Gables	Welded mesh and screen mesh.
Wall cover	External: Linseed oil and mineral turpentine mix (1:1). Internal: Wall paper paste (anti-dusting agent).
Floor	Internal: Concrete slab, no reinforcement. External (patio): Concrete slab with mesh reinforcement.
Provision for extension	Not specifically.
Other infrastructure	Latrine constructed. Future connection to electricity and water possible. Building in an existing community, with existing facilities.

LECCIONES APRENDIDAS EN EL TIEMPO

Serie Aprendiendo de los Terremotos
Volumen V

Reconstrucción de Viviendas de Adobe después de los Terremotos del 2001 en El Salvador

Earthquake Engineering Research Institute

Se pueden adquirir copias de esta publicación en:
EERI
499 14th Street, Suite 320
Oakland, CA 94612-1934 USA
Tel: (510) 451-0905
Fax: (510) 451-5411
E-mail: eeri@eeri.org
Web site: http://www.eeri.org

Esta investigación fue llevada a cabo como parte del Programa Aprendiendo de los Terremotos del EERI, con el financiamiento de la National Science Foundation (Fundación Nacional de Ciencia), bajo la donación #CMS-0131895.

ISBN: 0-943198-00-3

Número de Publicación del EERI: 2004-01

Figuras y fotos:
Todas las figuras por Dominic Dowling (Universidad de Tecnología, Sydney), excepto las que se indican a continuación:

Figura 1: Naciones Unidas.
Figura 2: Información del Programa de las Naciones Unidas para el Desarrollo (PNUD), figura por Dominic Dowling.
Figuras 3, 4, 6: Información de la Dirección General de Estadísticas y Censos (DIGESTYC), Gobierno de El Salvador. Figuras por Dominic Dowling.
Figuras 5, 7, 8: Manuel López Menjívar, Universidad de El Salvador (UES).
Figura 16: Esquema por Equipo Maíz. Texto por Dominic Dowling.
Figura 18: El Diario de Hoy.
Figura 21: Equipo Maíz.
Figura 29: Dr. Steve Oates, Shell International.

Imágenes de la portada
Fondo: Poblado severamente afectado (Menjivar, UES), figura 7.
Fotografía a color: Programa de capacitación en adobe, Proyecto Expedición El Salvador, figura 30.

Descargo de responsabilidad
Las opiniones, hallazgos, conclusiones, o recomendaciones expresadas en este documento pertenecen a los autores y no necesariamente reflejan los puntos de vista de la National Science Foundation (Fundación Nacional de Ciencia), del EERI, o de la organización a la que pertenece el autor.

Gerente del Proyecto: Marjorie Greene

Editor: Sarah K. Nathe

Coordinador de Edición: Eloise Gilland

Producción y portada: Wendy Warren

Traducción: Marcial Blondet y Gladys Villa Garcia M.

Contenido

Reconstrucción de Viviendas de Adobe después de los Terremotos del 2001 en El Salvador

Dominic Dowling

Lecciones Aprendidas en el Tiempo

La serie Lecciones Aprendidas en el Tiempo se estableció como parte del Programa Aprendiendo de los Terremotos del EERI para rescatar y difundir lecciones que podrían no ser evidentes hasta algunos años después de un terremoto o que ameritan una re-evaluación a la luz del estado del conocimiento actual.

Los objetivos de la serie Lecciones Aprendidas en el Tiempo son los siguientes:

- Obtener y difundir nueva información acerca de un proceso específico de recuperación y reconstrucción.
- Corregir errores de interpretación o análisis cometidos en estudios anteriores.
- Volver a interpretar los hechos a la luz de nueva información o conocimiento.
- Actualizar y volver a analizar una base de datos existente.

Estos tipos de estudios retrospectivos son vitales para mejorar nuestro entendimiento de los terremotos, sus efectos y cómo nos recuperamos de ellos. El Programa Aprendiendo de los Terremotos, a través del patrocinio de la National Science Foundation (Fundación Nacional de Ciencia), está abocado a financiar estos análisis y evaluaciones históricos. Es nuestra esperanza que esta información nos permitirá construir estructuras más seguras y prepararnos mejor para y recobrarnos de futuros terremotos.

Acerca del EERI

El Earthquake Engineering Research Institute (EERI) (Instituto de Investigación de Ingeniería Sísmica) se organizó en 1949 como una corporación sin fines de lucro. La misión del EERI es reducir el riesgo como consecuencia de terremotos, avanzando la ciencia y la práctica de la ingeniería sísmica; mejorando el entendimiento del efecto de los terremotos en el ambiente físico, social, económico, político y cultural; y proponiendo medidas exhaustivas y realistas para reducir los efectos perjudiciales de los terremotos. El EERI tiene miembros en 45 estados, en un territorio del Commonwealth de los EE.UU. y en 58 países extranjeros.

Reconocimientos

Esta investigación ha sido posible gracias al interés y apoyo de muchas personas y grupos. Deseo agradecer especialmente al Earthquake Engineering Research Institute (EERI, Instituto de Investigación en Ingeniería Sísmica, EE.UU.) y a la National Science Foundation (NSF, Fundación Nacional de Ciencia, EE.UU.) por el financiamiento y apoyo. Mi sincero agradecimiento a las siguientes organizaciones y personas por ofrecer generosamente su tiempo, recursos y apoyo durante esta investigación: Asociación Bálsamo, Atlas Logistique, CENAPRED México, COEN, Ing. Rafael Colindres, CONRED Guatemala, Equipo Maíz, Expedición El Salvador, Fundación Boll, FUNDASAL, GeoHazards Internacional, GESAL, GOAL, INSAFORP, Las Mélidas, OIKOS, Dr. Ing. Gabriel Pons, Christian Rademaker, REDES, Universidad de Stanford, Tipping Mar + Asociados, Trocaire, UNDP/PNUD El Salvador, Unidad Ecológica Salvadoreña (UNES), Universidad Centro Americana (UCA), Universidad de El Salvador (UES), Universidad del Valle de Guatemala, Universidad Nacional Autónoma de México (UNAM), Universidad de California en Berkeley, Universidad Tecnológica en Sydney (UTS) y el Vice Ministerio de Vivienda y Desarrollo Urbano de El Salvador (VMVDU).

El EERI y yo agradecemos a Marcial Blondet y a Gladys Villa Garcia M. de la Pontificia Universidad Católica del Perú por el trabajo de traducir al español la versión en inglés de este reporte. Esta es la primera publicación que ha sido traducida e impresa simultáneamente en ambos idiomas y en el futuro el EERI espera hacer lo mismo con otras publicaciones nuevas.

Desearía reconocer el constante esfuerzo del equipo editor y productor de EERI LFE (Marjorie Greene, Sarah K. Nathe, Eloise Gilland, y Wendy Warren), quienes han apoyado activamente y han asumido la tarea de producir las versiones en inglés y español. Estoy encantado con el producto final.

Gracias especiales al Profesor Bijan Samali de la Universidad de Tecnología de Sydney, por apoyar mis esfuerzos de investigación, aportar invalorables orientaciones y revisar detenidamente el manuscrito. También estoy agradecido a Sally Campbell y a Mark Cini por su revisión detallada y retroalimentación constructiva.

Yo deseo agradecer al Dr. Julian Bommer por tomarse tiempo para apoyar mis investigaciones y compartir muchos de sus contactos y recursos en El Salvador.

Debo especial apreciación a Melvin Tebbutt por ser un mentor, guía y apoyo desinteresado.

Extiendo mi cálida apreciación y respeto al pueblo de El Salvador, que generosamente me abrió sus hogares, sus vidas y su realidad.

Dominic Dowling
Diciembre del 2003

Acerca del Autor

Dominic Dowling es un investigador y candidato doctoral en el Centro para Investigación de Infraestructura de Construcción de la Facultad de Ingeniería de la Universidad de Tecnología, Sydney, Australia. Le interesa el mejoramiento de la resistencia sísmica de las viviendas de adobe, con interés específico en soluciones de bajo costo y baja tecnología para países en desarrollo. Dominic estuvo un total de nueve meses en El Salvador después del terremoto, entre 2001 y 2002, y estuvo involucrado en varias actividades de socorro, rehabilitación, investigación y reconstrucción posteriores al terremoto. Su intervención en esta investigación del EERI lo ha obligado a considerar todos los aspectos de la aplicación del adobe mejorado y lo ha motivado intensamente para buscar soluciones apropiadas a un gran problema.

Resumen Ejecutivo

Los Terremotos

El 13 de Enero del 2001, un terremoto severo, que registró una magnitud Mw de 7.7, devastó el pequeño país centroamericano de El Salvador, dejando más de 800 personas muertas. Exactamente un mes después, el 13 de Febrero del 2001, un segundo terremoto severo, que registró una magnitud Mw de 6.6, causó mayor destrucción a la ya dañada infraestructura física y social y mató a casi 300 personas. El sector vivienda de El Salvador fue particularmente afectado, con más de 165,000 casas destruidas y otras 110,000 casas dañadas. En las áreas más afectadas, la destrucción alcanzó hasta el 85% de las casas. El daño y la destrucción en áreas rurales fue mucho mayor que en áreas urbanas. El grado de destrucción puede ser atribuido a dos factores principales: El material de construcción usado y la calidad y el mantenimiento de la construcción.

La vivienda tradicional de bajo costo (adobe, bahareque, madera, lámina) sufrió mucho daño, resultando afectadas aproximadamente el 75% de las casas construidas con esos materiales. La vulnerabilidad de la vivienda tradicional de adobe (bloque de barro) fue claramente demostrada: 44% de las viviendas de adobe existentes antes del terremoto fueron afectadas, representando el 57% del total de las viviendas afectadas. En la mayoría de los casos, las casas afectadas generalmente fueron mal construidas o no recibieron mantenimiento por sus propietarios. Más del 60% de las viviendas afectadas estuvieron ubicadas en zonas rurales. Los daños causados por los terremotos demostraron claramente la necesidad de reducir la vulnerabilidad de la vivienda común ante eventos sísmicos.

Vivienda en El Salvador

La elección del material de construcción en El Salvador está influenciada predominantemente por el nivel de ingreso y por la ubicación en zona urbana o rural. Estos factores determinan el acceso al financiamiento, materiales, mano de obra calificada y terreno. Cualquier solución sostenible para vivienda debe trabajar dentro de estos límites para beneficiar a los propietarios y residentes.

Antes de los terremotos del 2001, existía una carencia combinada, tanto de calidad como de cantidad, de más de 550,000 casas, lo que indica que más del 40% de la población vivía en condiciones de habitabilidad por debajo del promedio aceptable. La gran carencia de vivienda en El Salvador revela que una solución inmediata no será posible y que se requieren iniciativas sostenibles a largo plazo para disminuir la vulnerabilidad y reducir la carencia de vivienda.

Recuperación Post-Terremoto

Luego de los terremotos, importante ayuda internacional se ofreció a El Salvador para apoyar actividades de desarrollo a mediano y largo plazo. Los proyectos a mediano plazo centraron su atención en la rehabilitación y reconstrucción de la infraestructura dañada, tal como edificaciones (servicios de salud y educación, casas, iglesias, edificios públicos) y servicios básicos (caminos, redes de agua y telecomunicaciones). Las iniciativas a largo plazo incluyeron el desarrollo de infraestructura y aspectos de mitigación y prevención de desastres, mejorando la capacidad institucional y fomentando el desarrollo sostenible.

Adobe Mejorado

La capacitación y construcción con adobe mejorado son maneras viables de reducir la vulnerabilidad sísmica, de disminuir la carencia de vivienda y de promover el desarrollo sostenible. El término adobe mejorado describe casas de adobe que incorporan sistemas y

procesos que aumentan su resistencia sísmica (cimentación, refuerzo, contrafuertes, viga collar, diseño global antisísmico y calidad mejorada de los materiales y de la construcción). El adobe mejorado preservará vidas y minimizará daños, a pesar de no ser "a prueba de sismos" y de que es poco probable que se comporte tan bien como una casa bien construida hecha con materiales modernos (concreto, ladrillo, acero). Las propiedades estructurales del adobe (material frágil y de baja resistencia) implican que aun una casa bien diseñada y construida con adobe mejorado, muy probablemente sufrirá abundante daño durante un terremoto fuerte. A pesar de esta limitación, el adobe continuará siendo el material de construcción elegido por un gran número de familias pobres en El Salvador y otros países en desarrollo, que no pueden acceder a otra alternativa.

Se han tomado varias iniciativas en El Salvador después del terremoto para apoyar e impulsar el uso de adobe mejorado en la construcción de viviendas. Se han dado tres enfoques:

- Incrementar la toma de conciencia global, la aceptación y el conocimiento del adobe mejorado. Estas actividades tienen lugar a niveles comunales e institucionales, para informar a los actores claves individuales (propietarios locales y entidades gubernamentales y no gubernamentales) acerca de la aplicación y el valor de los sistemas de adobe mejorado.
- Aumentar la capacitación de artesanos locales en la construcción más segura con adobe, a través de programas de entrenamiento y proyectos de desarrollo de habilidades.
- Considerar al adobe mejorado como una alternativa viable al bloque de concreto en proyectos de construcción de viviendas financiados por agencias. En estos casos, el interés principal está en la provisión de vivienda adecuada, pero un beneficio subsidiario es el aprendizaje informal de aquellos que ayudan en la construcción de sus casas, bajo la dirección de técnicos capacitados.

Las actividades relacionadas con el adobe mejorado, posteriores a los terremotos en El Salvador, representan uno de los primeros intentos importantes para la implementación a gran escala de tal sistema en América Latina. Como se esperaba, el proceso ha enfrentado varios retos, muchos de los cuales se han debido a que es el primer proyecto de esta naturaleza. Los retos han estado también relacionados con las actitudes y la atención de la comunidad en general, el Gobierno de El Salvador (GOES), los donantes, las organizaciones no gubernamentales (ONG) y los medios de comunicación, hacia el adobe específicamente y hacia el desarrollo en general. Un reto significativo ha sido planteado por las limitaciones de recursos, incluyendo financiamiento adecuado, personal capacitado y experimentado, y tiempo. La solución a estos retos es una combinación de promoción, capacitación e iniciativas sociales y técnicas, así como un enfoque estratégico. Un componente esencial en cada una de estas actividades es mayor investigación y desarrollo.

Un número significativo de iniciativas de adobe mejorado ha sido exitoso en El Salvador afectado por los terremotos. Las grandes necesidades, sin embargo, significan que se requiere mucha más actividad y que las lecciones aprendidas luego de los terremotos proveen las bases para mayor acción. Repasando las fortalezas y limitaciones de las iniciativas y haciendo mejoras donde es apropiado, asegurarán que las técnicas innovativas puedan ser transferidas efectivamente a los actores relevantes.

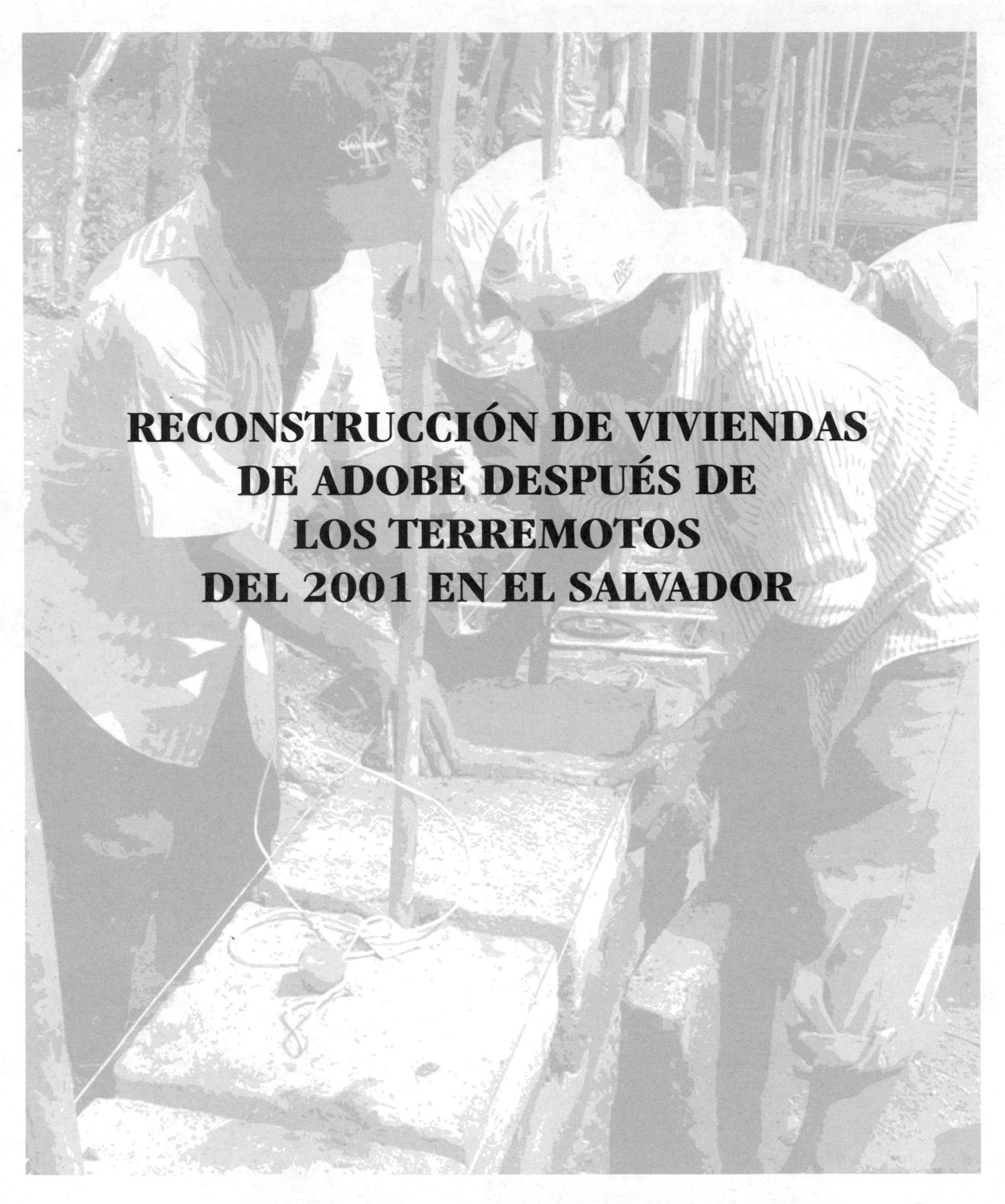

RECONSTRUCCIÓN DE VIVIENDAS DE ADOBE DESPUÉS DE LOS TERREMOTOS DEL 2001 EN EL SALVADOR

Dominic Dowling, Universidad de Tecnología, Sydney, Australia

Antecedentes

El País

El Salvador es el país más pequeño y más densamente poblado de América Central. Cubre un área de 21,040 km^2 (CIA 2002) y en 2001 tenía una población estimada de 6,350,000 (UNDP 2001). El Salvador está dividido en 14 departamentos y limita por el sur con el Océano Pacífico, por el oeste con Guatemala y por el norte y el este con Honduras (**figura 1**). El Salvador tiene una larga historia de actividad sísmica y es afectado por terremotos de subducción y de corteza superior. En el último siglo, El Salvador ha experimentado un promedio de un terremoto severo y destructivo por década (Bommer et al. 2002).

La historia reciente de El Salvador está repleta de desastres, de origen natural y humano. Los desastres naturales han incluido terremotos severos en 1965, 1982, 1986 y 2001, el Huracán Mitch en 1998 y varios períodos de sequía e inundaciones. Los desastres generados por el hombre han incluido injusticias sociales, ambientales y económicas (pobreza, falta de tierras, deforestación, desempleo y una gran disparidad en la distribución de la riqueza). Estas características han dado lugar a violentos levantamientos de los marginados y a represiones agresivas por la clase militar gobernante. Una serie de conflictos en los últimos 100 años incrementaron los fuertes desbalances sociales y crearon un ambiente de miedo e incertidumbre en todo el país. En 1992, doce años de guerra civil terminaron con la suscripción de acuerdos de paz y el país comenzó el proceso de reconstrucción de la infraestructura y de los sistemas sociales, institucionales y físicos.

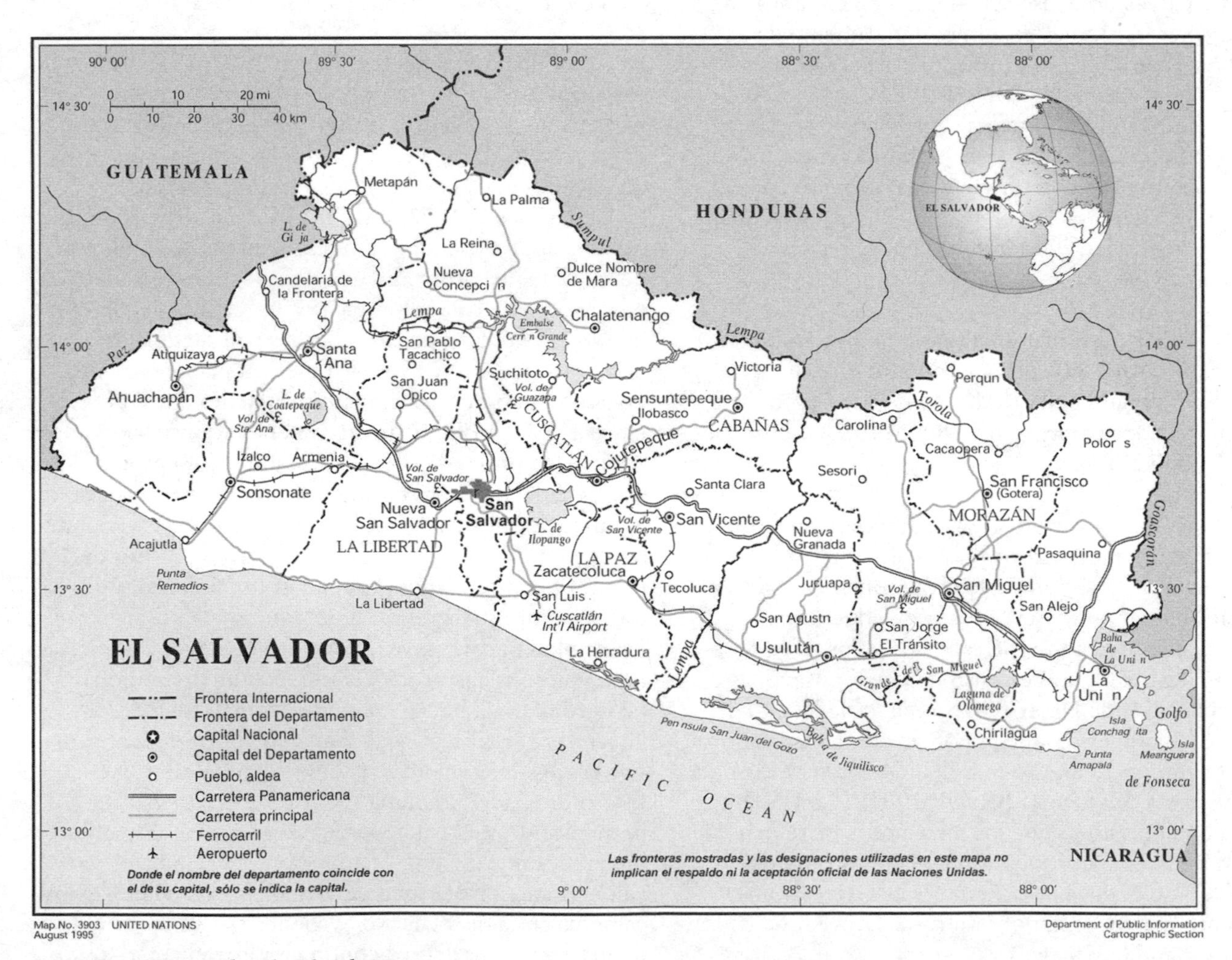

Figura 1 *Mapa de El Salvador.*

Tabla 1 *Porcentaje de población viviendo en pobreza en 1991, 1999 y 2001 (UNDP 2001)*

Área	1991	Antes del terremoto (1999)	Después del terremoto (2001)
Pobreza urbana	59.7	37.6	40.2
Pobreza rural	71.2	61.2	66.4
Pobreza total del país	65.7	47.5	51.2

Desarrollo Humano

Los indicadores de desarrollo humano de El Salvador tuvieron mejoras significativas durante la década de los 90. La **tabla 1** muestra los cambios en los niveles de pobreza entre 1991 y 1999. A pesar de una reducción del 18.2% en la proporción de la población viviendo en condiciones de pobreza (recibiendo ingreso inferior al costo de satisfacción de necesidades básicas), la disparidad entre la pobreza urbana y rural aumentó. La pobreza en áreas urbanas cayó en 22.1%, en tanto la pobreza en áreas rurales disminuyó únicamente en 10%. En 1999, el ingreso rural promedio era sólo 40% del ingreso urbano promedio (UNDP 2001). Más aún, el reporte de UNDP (2001) indicó que los niveles de desigualdad en El Salvador siguen estando entre los mayores del mundo, con un 20% de población con mayor riqueza que recibió el 56.2% del ingreso global en 1999, mientras que el 50% más pobre recibió únicamente el 16.4%.

En 1999, El Salvador ocupó la posición 104 en la lista de 173 países, calculada de acuerdo al Índice de Desarrollo Humano de la UNDP, lo que corresponde a países clasificados como de nivel de desarrollo humano medio (UNDP 2001).

La UNDP (2001) sugirió que los terremotos tuvieron un impacto mayor en el desarrollo humano que en los factores económicos, porque los componentes clave del desarrollo humano—vivienda, salud y educación—fueron los más afectados. Se estima que los terremotos han sido la causa de un descenso de cinco posiciones en la lista del Índice de Desarrollo Humano de la UNDP (2001). Se ha sugerido que la población afectada sufrió una regresión de 20 años o más debido a la pérdida de casa, cultivos y posesiones (UNDP 2001). La UNDP (2001) también estimó que los terremotos incrementaron en un 3.7% la proporción de la población que vive debajo de la línea de pobreza (**tabla 1**), con un incremento mayor en la pobreza rural (5.2%) que en la pobreza urbana (2.6%).

Vivienda

La Dirección General de Estadísticas y Censos (DIGESTYC), que forma parte del Gobierno de El Salvador (GOES), informó que la cantidad de viviendas en El Salvador en 1999 era de 1,383,145. Esta cantidad consistía de 860,082 casas (62%) en áreas urbanas y 523,063 casas (38%) en áreas rurales. Los materiales de construcción empleados incluyen los llamados materiales modernos y los materiales tradicionales de bajo costo, como se describe en la **tabla 2**.

Desde el final de la guerra civil en 1992, El Salvador ha experimentado un desarrollo creciente en muchos sectores de la sociedad, incluyendo el de construcción de viviendas. La **figura 2** muestra los cambios en el uso de los diferentes materiales de construcción para viviendas, desde 1993 hasta 1999. En este período, la existencia de viviendas aumentó a una tasa compuesta de crecimiento promedio anual de 4% (desde 1,091,728 en 1993 hasta 1,383,145 en 1999). La tasa de incremento del número de casas hechas con materiales modernos (concreto y mixto) fue aun mayor, con una tasa compuesta de crecimiento promedio anual de 8% entre 1993 y 1999. Este crecimiento equivale a una tasa compuesta promedio de 4% por año, como proporción del total de viviendas existentes. En ese mismo período, el número de casas de adobe permaneció relativamente estable, tanto en términos absolutos (crecimiento de 2% por año) como relativos al número total de casas de todos los tipos (regresión de 2% por año). El material tradicional bahareque experimentó el mayor cambio relativo en el lapso considerado, con una regresión promedio anual de 9%. Con relación al total de viviendas existentes, las de bahareque experimentaron una regresión compuesta promedio anual de 13%. El uso de madera, lámina y otros materiales ha permanecido relativamente inalterado, a pesar que estos materiales representan una proporción significativamente menor del total de viviendas existentes. Estos cambios en la existencia de viviendas sugiere que el uso de materiales modernos continuará incrementándose y

Tabla 2 Materiales de construcción usados en viviendas en El Salvador

Categoría	Material	Descripción
Materiales Modernos		
	Concreto	Cualquier edificio de concreto, incluyendo bloque de concreto, muros de paneles de concreto, concreto reforzado, etc.
	Mixto	Sistema de albañilería confinada, consistente en vigas y columnas de concreto ligeramente reforzado, con muros de relleno de albañilería de ladrillo.
Materiales Tradicionales de Bajo Costo		
	Adobe	Bloque de barro secado al sol.
	Bahareque	Barro o piedra confinados por una matriz de elementos verticales y horizontales de madera o caña.
	Madera	Cualquier tipo de construcción de madera.
	Lámina	Calamina metálica, típicamente corrugada, que es soportada por un marco de madera.
	Otros	Por ejemplo, láminas plásticas, hojas de palma, cartón, material de deshecho.

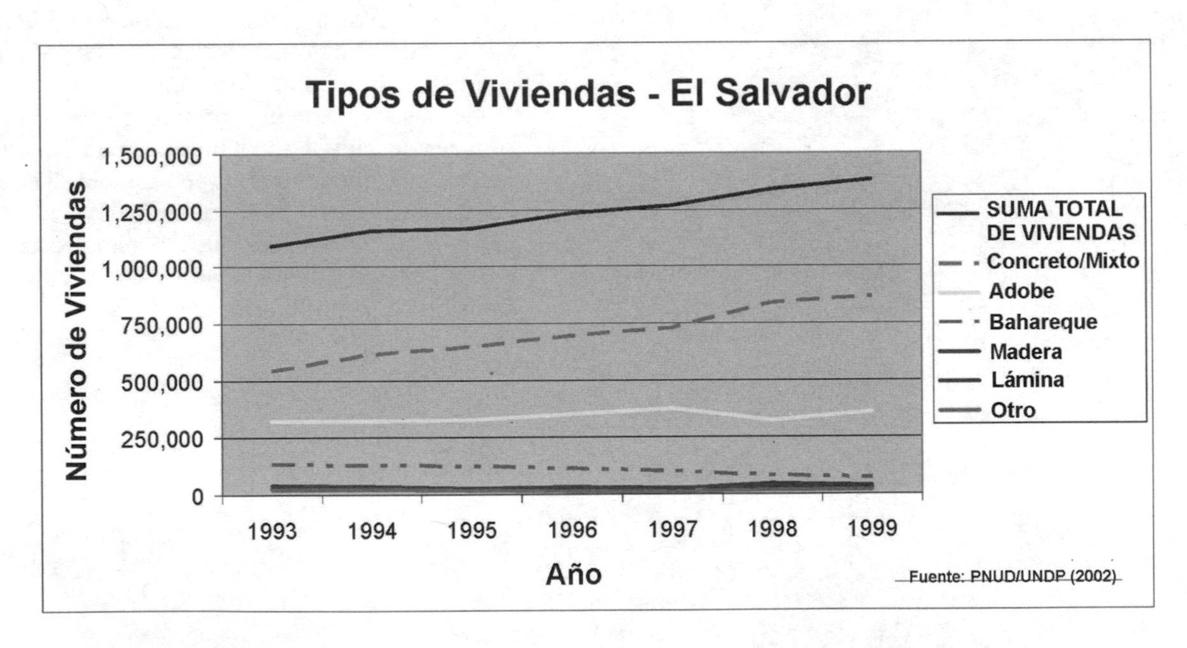

Figura 2 Número de casas por material de construcción empleado, El Salvador 1993–1999 (Información de UNDP 2001).

PAÍS TOTAL
Suma total de Viviendas: 1,383,145

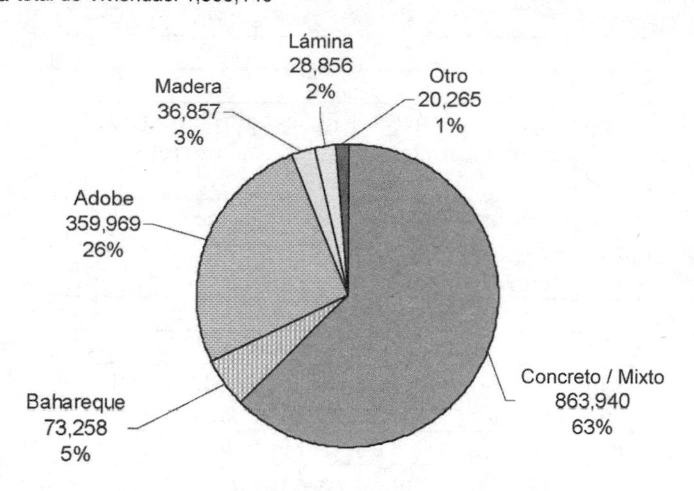

URBANO
Suma de Viviendas (Urbano): 860,082 (62% de suma total de viviendas)

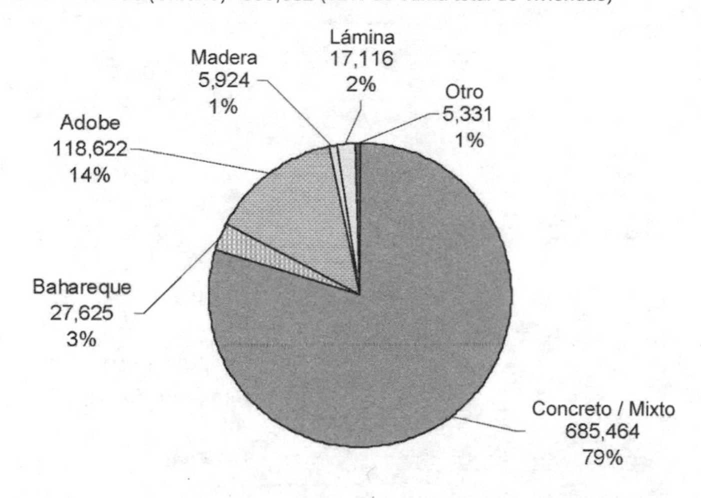

RURAL
Suma de Viviendas (Rural): 523,063 (38% de suma total de viviendas)

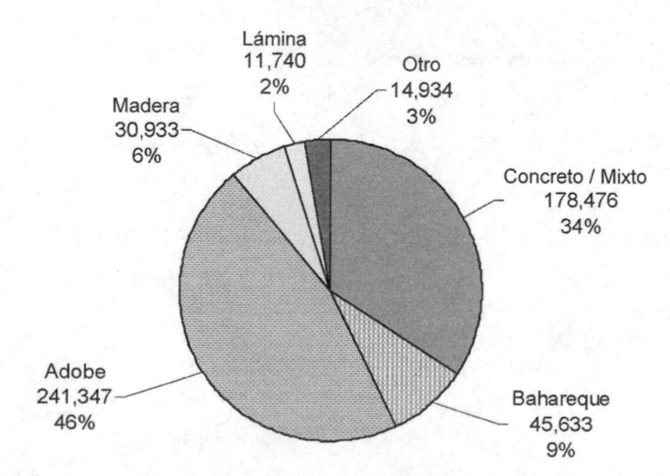

que el adobe mantendrá una presencia consistente como material de construcción de viviendas de tipo secundario en El Salvador.

La **figura** 3 muestra la distribución de viviendas en El Salvador antes del terremoto, considerando todo el país, así como la distinción entre áreas urbanas y rurales.

Las estadísticas disponibles sugieren que hay dos factores principales que tienen influencia en el tipo de material usado en la construcción de las casas. El primer factor es el nivel de ingreso y el segundo factor es la ubicación. Como se esperaba, aquellas familias con un ingreso mayor, tienden a vivir en casas construidas con materiales modernos, más costosos. Este aspecto es mostrado en la **figura 4**, que presenta la proporción de los materiales de construcción modernos y tradicionales de bajo costo en relación con el ingreso mensual familiar. Las **figuras** 3 y **4** también evidencian la diferencia entre la vivienda urbana y rural. En áreas rurales, la proporción de casas tradicionales de bajo costo no es sobrepasada por las casas modernas hasta que el ingreso mensual alcanza los US$457. En contraste, en áreas urbanas la proporción de casas modernas excede la proporción de casas tradicionales de bajo costo cuando el ingreso mensual excede únicamente de US$46. La **tabla 3**, basada en observaciones en campo, entrevistas y la revisión de estadísticas e información existente, muestra algunos de los aspectos que pueden contribuir a esta disparidad.

Figura 3
Distribución de viviendas en El Salvador antes del terremoto: material de construcción, número de casas y proporción de la existencia total de viviendas (Información de DIGESTYC 1999).

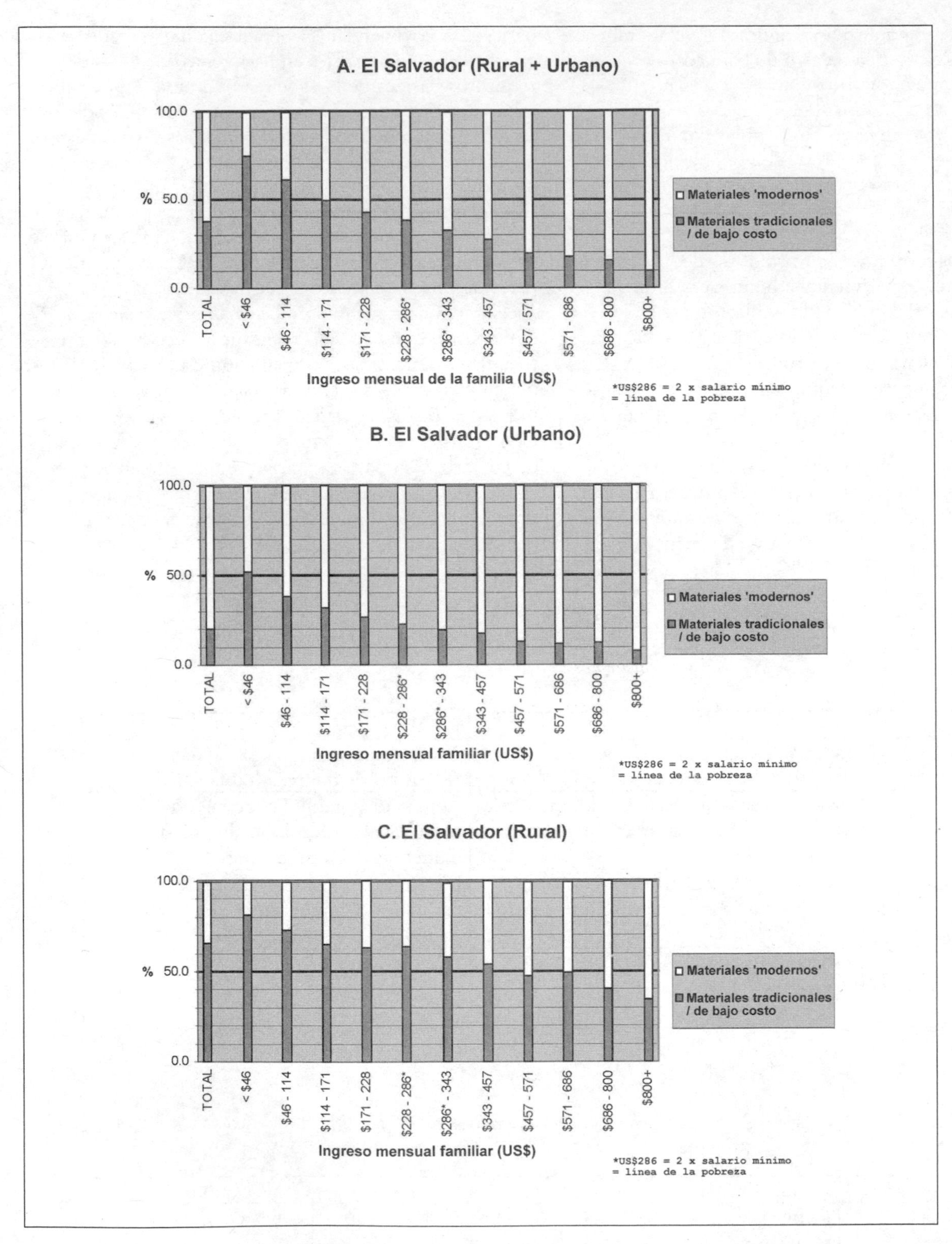

Figura 4 *Proporción de uso de diversos materiales de construcción con relación al ingreso mensual (Información de DIGESTYC 1999).*

Resulta interesante notar que la **figura 4** revela también que los materiales tradicionales o de bajo costo no son usados exclusivamente por los más pobres. Un 20% de la población con un ingreso superior a dos veces el salario mínimo vive en casas construidas con esos materiales, como lo hace el 10% de la población en el nivel superior de ingreso, con un ingreso superior a US$800 al mes.

Aun antes de los terremotos devastadores de inicios del 2001, El Salvador experimentaba una severa falta de vivienda, con más del 40% de la población viviendo en condiciones por debajo del estándar. De acuerdo al Vice Ministerio de Vivienda y Desarrollo Urbano (VMVDU, 2001) del GOES, hay seis requerimientos básicos para la vivienda: 1) muros seguros y estables 2) techo seguro y estable, 3) piso higiénico, 4) instalaciones sanitarias adecuadas, 5) acceso a agua potable y 6) acceso a electricidad. La falta de vivienda en El Salvador ha sido dividida en dos secciones para reflejar diferentes niveles de deficiencias. El déficit cuantitativo da cuenta de casas que son deficitarias en todos los seis requisitos básicos de la vivienda. El déficit cualitativo representa casas que son deficientes en hasta cinco de los seis requisitos básicos de la vivienda. La **tabla 4** presenta la falta de vivienda en El Salvador antes y después de los terremotos y muestra la severidad de los problemas de vivienda.

El impacto de los terremotos ha sido más pronunciado en el déficit cuantitativo de vivienda que experimentó un incremento de casi cuatro veces (**tabla 4**). La mayor parte de este incremento parece venir de casas previamente clasificadas como cualitativamente deficitarias, que han sido reclasificadas como cuantitativamente deficitarias. La distinción establecida entre déficit cualitativo y cuantitativo, no es un verdadero indicativo de las necesidades reales de vivienda. Comprensiblemente, el mayor énfasis en las actividades de construcción parece estar en reducir el déficit cuantitativo de vivienda. Sin embargo, esto sólo no provee una solución adecuada a los severos problemas del sector vivienda.

Tabla 3 *Aspectos que influencian la construcción urbana y rural*

Aspecto	Urbano	Rural
Ingreso	Mayor acceso a fuentes de ingreso Nivel medio de pobreza (**tabla 1**)	Acceso mínimo a fuentes de ingreso. Alto nivel de pobreza (**tabla 1**)
Materiales	Mayor acceso a materiales modernos (ladrillo, cemento, acero, etc.)	Amplia disponibilidad de materiales tradicionales (tierra, bambú, piedra, madera de baja calidad, etc.)
Constructores	Mayor acceso a constructores calificados, con experiencia en construcción moderna	Usualmente dependen de artesanos familiares o comunitarios con o sin experiencia en construcción
Terreno	Restringido	Sin restricción
Aplicación de normas	Poco control	Poco o ningún control

Tabla 4 *Falta de vivienda antes y después del terremoto, El Salvador (VMVDU 2001)*

Deficiencia	Definición	1999	2001	% de cambio
Deficiencia cuantitativa	Deficiente en todos los seis requisitos básicos	42,817	208,136	386% de incremento
Deficiencia cualitativa	Deficiente en hasta cinco de los requisitos básicos	511,507	363,114	29% de reducción
Deficiencia total	Deficiencia cualitativa y cuantitativa	554,324	571,250	3.1% de incremento

El mejoramiento de sólo uno de los seis requerimientos básicos de vivienda cambia la posición de una casa determinada, del grupo de déficit cuantitativo al grupo de déficit cualitativo. Se puede considerar , sin embargo, si el acceso a la electricidad o la provisión de una letrina mejorará drásticamente la calidad de vida de los residentes de esa casa si a ellos les faltan muros y/o techos seguros y estables y/o acceso a agua potable. Muchas comunidades visitadas durante esta investigación tenían acceso a electricidad y fueron consideradas en la categoría de déficit cualitativo, a pesar del pésimo estado en que se encontraban muchas casas en estas comunidades. En consecuencia, estas casas han sido objeto de menor atención y ayuda durante las actividades de reconstrucción.

El gran número de casas que componen el déficit cuantitativo después del terremoto, también indica que la provisión de vivienda no es el único requerimiento del proceso de reconstrucción. Los proyectos de reconstrucción que apuntaban únicamente a la vivienda, resolverán sólo tres de los requisitos básicos de vivienda (muros, techo y piso). Las actividades de reconstrucción deberían tomar en consideración la situación completa, incluyendo la provisión de instalaciones sanitarias, acceso a agua potable y la posibilidad de una futura conexión eléctrica.

En 1999, el Vice Ministerio de Vivienda y Desarrollo Urbano puntualizó que el 78.1% del déficit de vivienda estaba representado por familias viviendo debajo de la línea de pobreza y que este nivel de ingreso era insuficiente para financiar una construcción o para obtener acceso a esquemas financieros (VMVDU 1999). Esto hace que estas familias dependan totalmente de la ayuda externa (donación total) y de la autoconstrucción usando los recursos disponibles. A pesar de los niveles de construcción sin precedentes en El Salvador después de los terremotos, la actividad en construcción es de corto plazo e insuficiente para cubrir todas las necesidades de vivienda.

Los Terremotos del 2001

Los terremotos del 13 de Enero y del 13 de Febrero del 2001 causaron extenso daño a través de todo El Salvador. Casi todos los departamentos fueron afectados de alguna manera, siendo el sector vivienda el más golpeado. El daño producido por el terremoto del 13 de Enero fue mucho mayor que el producido por el terremoto del 13 de Febrero, pero debido al corto periodo entre ambos eventos, las estadísticas han sido combinadas. La **tabla 5** muestra varios aspectos de los dos terremotos.

La mayoría de las muertes del primer terremoto fue debida a un gran derrumbe que aplastó una sección de la ciudad de Santa Tecla y que causó aproximadamente 500 víctimas fatales (*La Prensa Gráfica 2001*). Las pérdidas humanas hubiesen sido mucho mayores si los terremotos hubiesen ocurrido durante la noche, cuando los residentes dormidos hubiesen sido atrapados en sus casas.

Una exhaustiva evaluación inicial de los impactos ("Observaciones Preliminares de los Terremotos del 13 de Enero y del 13 de Febrero del 2001 en El Salvador") fue publicada como un Reporte Especial del Terremoto en Julio del 2001 por el EERI.

Daños en Viviendas

La UNDP (2001) informó que las pérdidas estimadas en el sector vivienda totalizaron US$333.8 millones, que representa el 21% del daño total producido. La **figura 6** muestra el número de casas afectadas y detalla el impacto en los tipos comunes de viviendas en El Salvador. Se consideran "casas dañadas" aquellas que fueron dañadas, pero que podían ser reparadas. Se consideran "casas destruidas" aquellas que fueron evaluadas como inhabitables. El término "casas afectadas" se refiere tanto a "casas dañadas" como a destruidas.

La UNDP (2001) reportó inconsistencias significativas en las estadísticas de daño presentadas por el GOES y por otras instituciones. Para este reporte, se han tomado las estadísticas publicadas por la Dirección General de Estadísticas y Censos del GOES (DIGESTYC), porque son las más completas para la vivienda pre terremoto (1999) y para el daño oficial post terremoto (2001).

Una evaluación de estos aspectos estadísticos, en combinación con observaciones de campo, revela el impacto de los terremotos en las viviendas existentes en El Salvador. Veinte por ciento de todas las casas en El Salvador fueron afectadas (12% destruidas y 8% dañadas). Este gran impacto ha tenido efecto en todo el funcionamiento del país, ya que los recursos fueron dirigidos hacia el proceso de reconstrucción. Aun aquellas áreas no afectadas han sentido el efecto, ya que las instituciones gubernamentales y no gubernamentales priorizaron sus actividades para asistir a las áreas más afectadas por los terremotos.

Algunas áreas de El Salvador resultaron prácticamente ilesas, en tanto otras áreas fueron seriamente impactadas (**figura** 7). Las estadísticas oficiales (DIGESTYC 2001) muestran que los departamentos más afectados fueron San Vicente (69.3% afectado), La Paz (64.5% afectado), Usulután (57.0% afectado) y Cuscatlán (48.5% afectado). Los diez departamentos restantes fueron menos afectados. Dentro de cada departamento, el nivel de daño varió significativamente. Las municipalidades más afectadas fueron Verapaz, San Vicente (95.3% afectado, 85.5% destruido); San Francisco Javier, Usulután (94.5% afectado, 80.6% destruido); San Agustín, Usulután (93.5% afectado, 82.9% destruido); y San Cayetano Istepeque, San Vicente (92.5% afectado, 84.5% destruido).

En términos de diferencias urbano/rurales, 12% de todas las casas urbanas fueron afectadas (6% destruidas y 6% dañadas), y 33.5% de todas las casas rurales fueron afectadas (22% destruidas y 11.5% dañadas). Las estadísticas también sugieren que en general, las casas en áreas rurales fueron más propensas a ser totalmente destruidas que a ser simplemente dañadas (**figura** 8). Los factores que contribuyeron a esto incluyen el material empleado, la calidad de la construcción y mantenimiento, y el acceso a ingreso económico y a ayuda técnica. Estos factores son discutidos en mayor detalle más adelante.

Con referencia a los materiales de construcción vulnerables, 57% de las casas afectadas fueron hechas de adobe, 68% de las casas destruidas fueron de adobe y 40% de las casas dañadas fueron construidas con adobe. De todas las casas de adobe, 44% fueron afectadas (32% destruidas y 12% dañadas). El hecho que las casas de adobe fueron en su mayoría completamente destruidas y

Tabla 5 *Aspectos de los terremotos de El Salvador del 2001*

Fecha	**Sábado 13 de Enero del 2001**	**Martes 13 de Febrero del 2001**
Hora	11:33 a.m. (hora local)	8.22 a.m. (hora local)
Coordenadas Geográficas	13.049 N, 88.660 W (NEIC)	13.671 N, 88.938 W (NEIC)
Magnitud	Mw 7.7 (NEIC)	Mw 6.6 (NEIC)
Profundidad	60 m (NEIC)	10 m (NEIC)
Muertes	844 (COEN 2001)	315 (COEN 2001)
Lesiones	4,723 (COEN 2001)	3,399 (COEN 2001)
Población afectada	1,616,782 personas (UNDP 2001)(=25% de la población)	
Casas	166,529 destruidas (DIGESTYC 2001) 110,065 dañadas (DIGESTYC 2001)	
Carreteras	2,300 km dañadas (La Prensa Gráfica 2002)	
Infraestructura de salud	20 hospitales y 75 centros de salud dañados (Ministerio de Salud 2001)	3 hospitales y 22 centros de salud dañados (Ministerio de Salud 2001)
Infraestructura educativa	1,706 dañados (Ministerio de Educación 2001)	111 dañados (Ministerio de Educación 2001)
Iglesias	344 dañadas (COEN 2001)	73 dañados (COEN 2001)
Edificios públicos	1.155 dañados (COEN 2001)	82 dañados (COEN 2001)
Pérdida económica	US $ 1,255.3 millones	US $ 248.5 millones
	Pérdidas totales: US $ 1.6 billones (=12% del GDP 2001) (UNDP 2001)	
Derrumbes	574 (COEN 2001) (**figura 5**)	71 (COEN 2001)
Otros	Ocho personas muertas en Guatemala. Sentido desde Ciudad de México hasta Colombia (NEIC)	Sentido a través de EL Salvador y en Guatemala y Honduras (NEIC)

Figura 5 *Destrucción de viviendas y derrumbes (Menjivar, UES).*

no simplemente dañadas, indica la tendencia del adobe tradicional hacia la falla súbita y catastrófica durante un evento sísmico. Esto a su vez incrementa dramáticamente el riesgo de víctimas fatales, lesiones y pérdida de posesiones domésticas.

El otro material de construcción tradicional principal, el bahareque, tuvo aspectos de daño estadísticamente similares al adobe: 44% de todas las casas de bahareque fueron afectadas (34% destruidas y 10% dañadas). Sin embargo, el bahareque constituía únicamente el 5% de la existencia total de viviendas en El Salvador antes de los terremotos.

Contrariamente a la opinión local generalizada, las casas construidas con materiales modernos (concreto y mixto) no fueron inmunes al daño, ya que 8.3% de tales casas fueron afectadas (2.3% destruidas y 5.9% dañadas). Sin embargo, estas casas fueron menos propensas a la destrucción total, ya que mantuvieron algún grado de integridad estructural. Este es un aspecto altamente deseable en el diseño sísmico; significa que los ocupantes pueden evacuar la edificación con seguridad durante un terremoto, aun si se produce daño irreparable.

Un impacto a largo plazo como consecuencia de los terremotos de El Salvador es la disminución de la confiabilidad en el comportamiento del adobe durante eventos sísmicos. Esta percepción es explicable considerando que el adobe se comportó mal. Adicionalmente, muchas organizaciones y negocios promueven el uso de materiales modernos (ladrillo, acero y concreto). Lo que muchas personas no comprenden es que el comportamiento sísmico de una edificación está gobernado por varios factores (incluyendo la configuración arquitectónica, las condiciones del lugar, la compatibilidad de los materiales y la calidad de la construcción, reparación y mantenimiento). Esta falta de apreciación representa un reto para los defensores del adobe y de la construcción con adobe mejorado.

Reconstrucción en El Salvador en 2002

La mayoría de la gente piensa que el proceso de reconstrucción ha sido lento. Muchas personas carecen de las facilidades mínimas y todavía están viviendo en albergues temporales. Algunas comunidades severamente afectadas no han recibido asistencia ni ayuda adicional desde que recibieron los albergues de emergencia por parte del GOES y de las agencias de socorro, poco después de los terremotos. Esta lentitud en la respuesta es debida principalmente a la inmensa carencia de viviendas y a la falta de recursos para asistir a aquellos en necesidad. Otras razones incluyen el aislamiento, la corrupción y la mala organización y

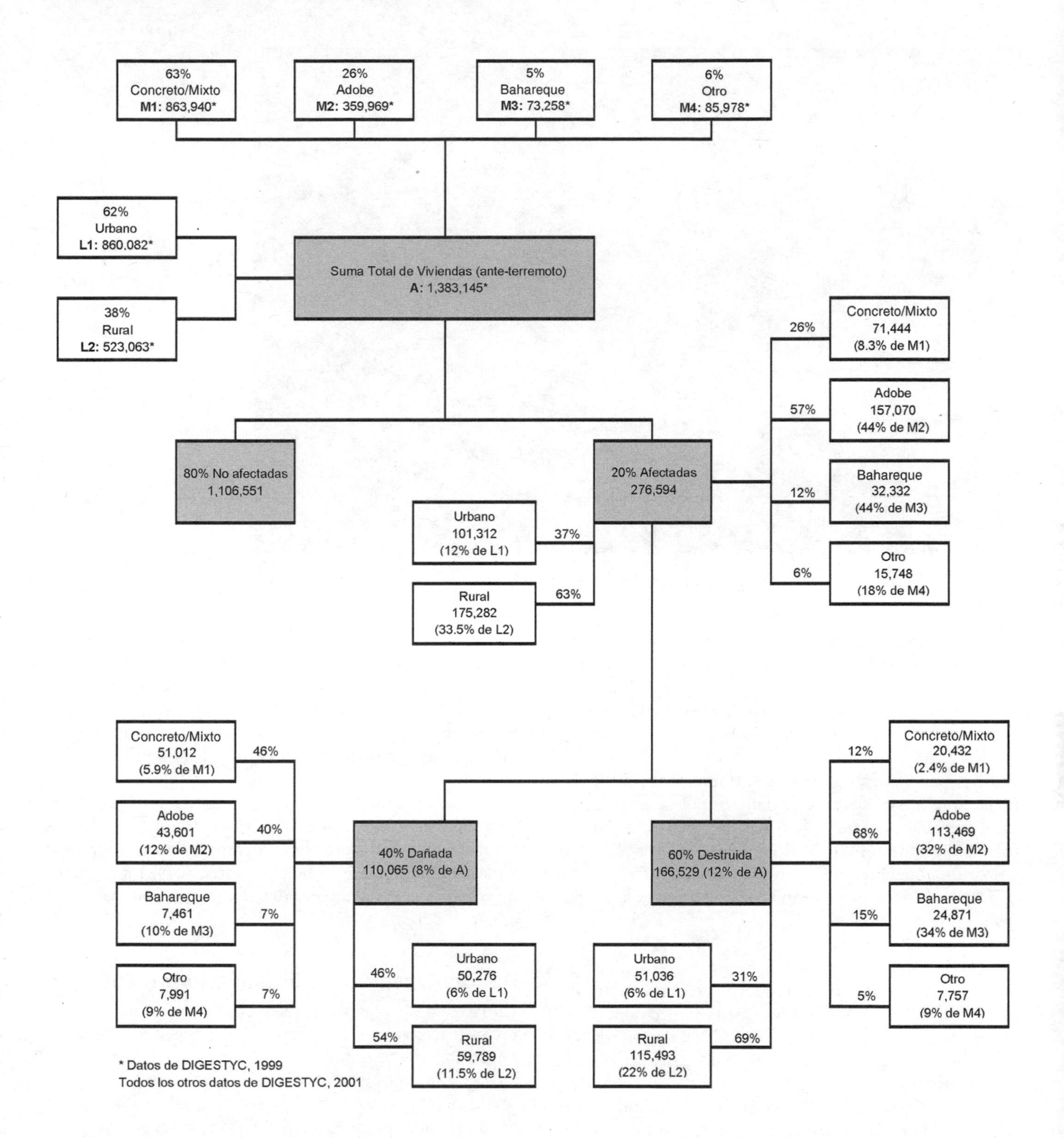

Figura 6 *Diagrama de flujo de las viviendas afectadas (Información de DIGESTYC 1999 y 2001).*

***Figura** 7*
Poblado severamente afectado (Menjivar, UES).

Figura 8
Casa destruida (Menjivar, UES).

cooperación municipal y comunal. En una comunidad una mujer alegaba que el alcalde había recibido una donación de 300 sacos de maíz como ayuda, que él había vendido en lugar de distribuirlo entre la comunidad. En otra comunidad una mujer del lugar estaba tratando de organizar un grupo para coordinar el pedido de ayuda, pero se quejaba de la falta de apoyo del alcalde (que representa a un partido político diferente) y de la resistencia de la comunidad a involucrarse en un grupo de presión por miedo a la represión, una infortunada herencia de la historia reciente de violencia en El Salvador. Esta falta de confianza y de participación comunal es recogida por la UNDP (2001), cuando reporta que "la confianza pública (en otros) y la afiliación a organizaciones está creciendo, pero todavía son muy bajas".

Debido a que la demanda de vivienda excede largamente a la oferta, se debe llevar a cabo un estricto proceso de selección de beneficiarios. Típicamente esto involucra la evaluación de varios factores, incluyendo el nivel de ingreso, la posesión legal del terreno, la ubicación del terreno y la capacidad de participar en la construcción. Un ejemplo típico del criterio de selección de beneficiarios de una agencia de apoyo (USAID) se presenta en la **tabla 6**. A pesar que las agencias proveedoras de fondos tienen requerimientos estrictos para asegurar la objetividad y transparencia del proceso de selección, hay conflictos inevitables de interés o simples confusiones, que pueden manchar el proceso. En muchos casos, esto se produce porque las personas no entienden el proceso o adecuan sus respuestas para dar las respuestas que ellos asumen como correctas. En otros casos, puede haber un favoritismo real (en el que un beneficiario es injustamente seleccionado) o un favoritismo percibido (en el que un beneficiario es adecuadamente seleccionado, pero otros perciben que su selección ha sido injusta). En cualquiera de las situaciones, los efectos en la comunidad pueden ser duraderos.

La **tabla 7** muestra el progreso en la reconstrucción de viviendas en El Salvador hasta Noviembre de 2001, así como las actividades planificadas de futuras construcciones. Las casas construidas (y por construir) hacen un total de 112,518, lo que cubre el 68% de las casas destruidas, pero sólo constituyen el 54% del déficit cuantitativo total de vivienda en El Salvador en 2001.

Por un número de razones (falta de confianza en los sistemas constructivos tradicionales, respuesta lenta ante la emergencia, actitud de esperar-por-la-ayuda y consideraciones climáticas simples), muchas familias ocupan tanto una "casa diurna" como una "casa nocturna". Típicamente una casa diurna consiste en la casa familiar dañada, de adobe o bahareque, que ha sido burdamente reparada usando los materiales

Tabla 6 *Criterios de selección para beneficiarios de vivienda (USAID 2002c)*

Estimados preliminares indican que aproximadamente el 30% del total de familias afectadas en cada municipalidad podrían cumplir los criterios de elegibilidad de este programa. USAID tiene planeado financiar la reconstrucción de casas en áreas donde había casas previamente construidas, de acuerdo al siguiente criterio de elegibilidad:

1) Ser un miembro permanente de la comunidad objetivo;
2) Haber sufrido la pérdida total de su única casa durante los terremotos a los que se hace referencia. La pérdida total de la casa es definida como "Una casa que, debido al daño causado por los terremotos, está en tal condición que seguir viviendo en ella representa un peligro para la familia, o una casa que fue totalmente destruida".
3) Tener un ingreso familiar total menor a dos salarios mínimos urbanos (en otras palabras, estar viviendo por debajo de la línea de pobreza);
4) Ser el propietario del terreno sobre el cual se construirá la casa;
5) Reconstruir sus casas en lugares con nivel de riesgo aceptable frente a daño futuro por sismo, derrumbes de barro, etc., y reconstruir en áreas cuyo medio ambiente no sea vulnerable,
6) Proveer mano de obra para la construcción.

Figura 9
"Casa diurna."

Figura 10
"Casa nocturna."

disponibles (madera, suelo, calamina, cartón, ramas, láminas plásticas) y es usada para actividades diurnas, tales como cocinar, descansar y conversar (**figura 9**). Debido a su temor ante futuros terremotos y falta de confianza en la integridad de sus casas tradicionales, la mayoría de las personas prefieren pasar la noche en las chozas pequeñas de calamina que fueron construidas como albergues a corto plazo (**figura 10**). Estas estructuras tienen excelente resistencia sísmica debido a su peso ligero y a la estructura flexible de madera, pero durante el día éstas absorben el calor del sol, haciéndolas peligrosas e insoportablemente calurosas. Debido a esto, ellas eran comúnmente denominadas *hornos*. Para muchas familias cuyas casas fueron totalmente destruidas en los terremotos, estos hornos son las únicas casas disponibles.

Las actividades de reconstrucción después del terremoto en El Salvador incluyeron una variedad de materiales de construcción y de enfoques constructivos diferentes. Se iniciaron una cantidad de proyectos pequeños, medianos y a gran escala que involucraron el apoyo de agencias locales e internacionales. Los distintos materiales de construcción incluyeron bloques de concreto (**figura 11**), mixto, sistemas prefabricados de paneles de concreto, concreto vaciado in-situ, lámina de fibrocemento, paneles de fibra de vidrio, paneles de relleno plástico, sistemas modulares, láminas de acero, madera y bloques de tierra prensada, así como también técnicas basadas en materiales tradicionales, tales como adobe y bahareque (**figura 12**). Las áreas interiores de las casas nuevas varían desde tan pequeñas como 17 m^2 hasta cerca de 50 m^2, variando sus costos entre US$1,500 y aproximadamente US$4,000–US$5,000 para casas de bloques de concreto construidas por agencias. Algunas de estas soluciones de vivienda han sido criticadas por observadores locales e internacionales por ser demasiado calurosas, demasiado pequeñas, demasiado costosas y por no considerar los aspectos culturales y sociales de El Salvador. En algunos casos se satisfacen los seis requerimientos básicos para la vivienda antes mencionados. En otros casos, sólo se provee la casa.

La considerable ayuda extranjera recibida para apoyar la actividad de reconstrucción después de los terremotos, ha llevado a El Salvador a un desarrollo rápido y sin precedentes. La inserción de esta ayuda ha tenido distintos resultados. Por una parte, la ayuda ha traído socorro rápido a gran cantidad de personas afectadas, a través de la atención de sus necesidades básicas (alimento, agua, albergue y vestido). Adicionalmente, muchas de las personas afectadas han mejorado las condiciones de sus viviendas, reduciendo de esta manera su vulnerabilidad ante futuros desastres. Por otra parte, muchas actividades de socorro no consideran las implicancias a largo plazo de las iniciativas externas de rápida aplicación y de corto alcance. Algunos de los impactos incluyen la pérdida de la identidad tradicional y local; el incremento de la dependencia del apoyo externo y la reducción de la capacidad interna de respuesta efectiva ante la adversidad. Estos impactos son considerados inconsistentes con los principios de desarrollo sostenible.

***Tabla** 7 Reconstrucción de viviendas actual y anticipada, Noviembre 2001 (VMVDU 2001)*

Institución/Donante	Casas construidas o en construcción	Casas negociadas pero no en ejecución	Casas en negociación	Número Total de Casas (%)
Sector gubernamental	7,047	15,721	11,723	34,491 (31%)
Programa "Techo para un Hermano"*	1,032	77	1	1,110 (1%)
Sector ONG	26,020	23,451	27,446	76,917 (68%)
TOTALES	34,099	39,249	39,170	112,518

* El programa "Techo para un Hermano" fue establecido para estimular el apoyo de los empresarios e individuos de El Salvador para la construcción de una casa para una familia afectada.

Figura 11
Casa de bloque de concreto, proporcionada por una agencia, proyecto GOAL.

Figura 12
Modelo de casa de bahareque mejorada, proyecto FUNDASAL.

Adobe en El Salvador

El adobe ha sido usado en El Salvador desde la época anterior a la conquista, a pesar de que la población indígena usaba principalmente materiales livianos, tales como paja, hoja de palmera y junco. En la época colonial, las casas de adobe adquirieron prominencia e incluían cimentación de piedra, muros gruesos (hasta 1.5 metros de espesor), contrafuertes estabilizadores y una estructura de techo de madera que soportaba tejas de arcilla (Moreira y Rosales 1998). Con el tiempo, sin embargo, el adobe dio muestras de ser muy vulnerable ante del daño sísmico debido a su gran masa, baja resistencia y fragilidad (**figura 13**). Esto, combinado con la introducción de materiales modernos (cemento, ladrillo cocido, acero, aluminio, lámina corrugada, lámina de madera y bloques de concreto) produjo una reducción significativa en el uso de los materiales tradicionales.

A pesar de los cambios, el adobe aun es usado intensamente en El Salvador, especialmente en áreas rurales, debido a que es accesible (usualmente el suelo no cuesta, generalmente la mano de obra es comunal y proporcionada por la familia); es de uso fácil (se requieren conocimientos especializados mínimos para construir una estructura simple); y está disponible (normalmente los materiales se obtienen localmente). El adobe también es durable, sostenible, reciclable, modular, sólido y seguro y tiene alta capacidad térmica. Otras limitaciones del adobe incluyen la susceptibilidad al daño por agua, el requerir mayor tiempo en su fabricación y construcción y el tener un estigma negativo (frecuentemente se asocia con pobreza o falta de progreso).

Adobe Tradicional

La construcción tradicional de adobe se realiza generalmente de una manera *ad-hoc* y sin normativa. Los sistemas y técnicas constructivos varían considerablemente de acuerdo a la práctica, materiales y técnicas locales. La **tabla 8** muestra los aspectos generalizados de la construcción de adobe tradicional en El Salvador. Se ha adoptado el formato de la **tabla 8** en todo este reporte, con la finalidad de poder hacer una comparación directa entre los diferentes sistemas y técnicas.

Figura 13
Casa típica de adobe tradicional. Apreciar los muros erosionados, sin sobrecimiento, muro largo, techo a dos aguas, conexión muro-techo muy débil, techo de tejas.

Tabla 8 *Aspectos de las casas tradicionales de adobe en El Salvador*

Ubicación	Todas las zonas de El Salvador, principalmente áreas rurales.
Tipo de vivienda	Vivienda de adobe tradicional.
Marco de tiempo	Varía.
Colaboración	Sin apoyo externo.
Costos	Mínimo.
Supervisión	Cabeza de familia o artesano local.
Mano de obra	Familiar y comunal.
Beneficiarios	Familia.
Capacitación inicial	Transmisión oral de técnicas tradicionales simples. Sin capacitación formal.
Dimensiones	Variadas.
Área cubierta	Variada.
Cimentaciones	Ninguna, o piedras de escombros aleatorias dentro de mortero de cemento pobre o de barro. Sin refuerzo.
Sobrecimiento	Ninguno.
Membrana aislante	Ninguna.
Suelo para adobe	Suelo local, a menudo mezclado con paja. Frecuentemente contiene materia extraña.
Bloques	Varios tamaños, hechos con moldes mal construidos. Los bloques son en su mayoría secados con exposición directa al sol y a la lluvia.
Juntas de mortero	Gruesas, a menudo más gruesas que los bloques (**figura 14**).
Refuerzo vertical	Ninguno.
Refuerzo horizontal	Generalmente ninguno, algunas veces alambre de púas.
Muros	Varios anchos, pero generalmente cerca de los 20 cm. Usualmente portantes, pero en otros casos el techo es soportado por columnas de madera (horcones) con muros de adobe de relleno que pocas veces son fijados a las columnas (**figura 15**). A menudo los muros están desplomados, con traslapes y juntas verticales muy malas.
Contrafuertes	Ninguno.
Dinteles	De madera.
Viga collar	Ninguna, o con elementos de madera burdamente cortados.
Unión viga collar-muro	Ninguna, o alambre amarrado alrededor de los bloques de las dos o tres hiladas superiores.
Unión viga collar-techo	Ninguna, o conexiones con alambre y clavos.
Estructura del techo	Madera cortada irregularmente para la estructura principal. Palos o cañas para soportar las tejas. Generalmente un techo de dos o cuatro aguas.
Cubierta del techo	Tejas pesadas de arcilla o de lámina.
Tímpanos	Adobe, madera o caña.
Cubierta de muros	Sin recubrimiento, o hecha con cemento o barro.
Piso	Usualmente piso de tierra. Algunas veces una capa delgada de concreto o tejas.
Provisión para ampliación	Se hacen ampliaciones *ad-hoc*.
Otra infraestructura	Situadas en una comunidad existente, con o sin acceso a los servicios básicos.

Figura 14
Juntas gruesas de mortero y bloques delgados, muro erosionado, dintel de madera.

Figura 15
Casa de adobe en construcción, con columnas de madera soportando el techo.

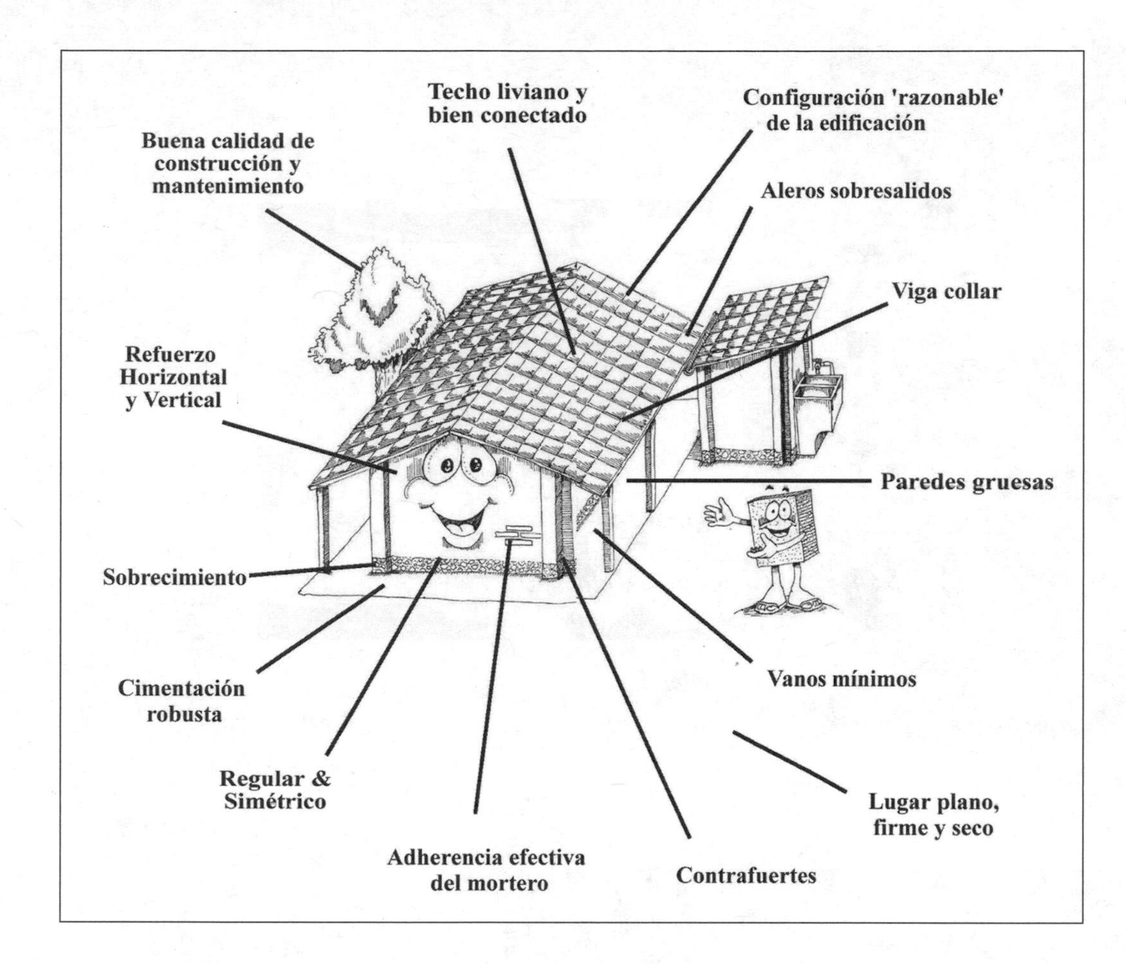

Figura 16
Aspectos clave de las casas de adobe mejorado (Equipo Maíz 2001).

Adobe Mejorado

"Adobe mejorado" es un término general que describe casas de adobe que incorporan sistemas y procesos que aumentan su resistencia sísmica. La **figura 16** muestra los aspectos clave de las casas de adobe mejorado y la **tabla 9** indica como los sistemas de mejora contribuyen a la resistencia sísmica.

El adobe mejorado es importante en la reconstrucción de El Salvador porque podría contribuir a la reducción sostenible del déficit nacional de vivienda. Sin embargo, hay una falta de conciencia de la existencia de técnicas mejoradas de bajo costo y de baja tecnología; por lo tanto cualquier iniciativa de construcción con adobe mejorado debería incluir un componente de promoción y de creación de conciencia. También debería haber programas de entrenamiento en la construcción mejorada, para elevar el nivel de capacitación de los artesanos locales. Si las habilidades locales se pueden desarrollar más, el adobe mejorado es viable, porque la mayoría de los materiales empleados están disponibles localmente. El adobe mejorado representa una solución de bajo costo que puede ser implementada con poco o ningún apoyo externo, en la medida que las capacidades de los artesanos locales se incrementen. Mas aun, las habilidades son una herramienta para la generación de ingreso, que es una parte esencial en la reducción sostenible de la pobreza.

En el caso de proyectos financiados por agencias de apoyo, la gran cantidad de recursos necesarios para casas construidas con materiales modernos (diseño complejo, materiales costosos, supervisión intensa), limitan el número de casas que pueden ser construidas con los fondos disponibles.

A pesar de las ventajas significativas del adobe mejorado, debería notarse que no es "a prueba de sismos" y que no es probable que durante un terremoto severo se comporte tan adecuadamente como una casa bien construida hecha con materiales modernos (concreto, ladrillo y acero). El objetivo principal de la

Tabla 9 *Contribuciones a la resistencia sísmica de los sistemas de adobe mejorado*

Configuración	Una edificación regular y simétrica resiste mejor los esfuerzos torsionales.
Cimentación	Distribuye la carga de los muros al suelo. Las cimentaciones con un refuerzo continuo aumentan la integridad estructural y transfieren las fuerzas sísmicas a los componentes conectados.
Sobrecimiento	Eleva los bloques de adobe del suelo, reduciendo así su exposición a la humedad y erosión.
Membrana aislante	Minimiza la transferencia de humedad del suelo al muro (usualmente colocada entre el sobrecimiento y la primera hilada de bloques de adobe).
Tierra para adobe	La tierra debe ser homogénea y uniforme y ser cuidadosamente preparada de manera que no ocurra excesiva fisuración ni desmoronamiento de las unidades. Los bloques deben ser regulares y a escuadra.
Juntas de mortero	Su espesor debe ser suficiente para cubrir las irregularidades en las dimensiones y los acabados de las unidades, de manera que las hiladas sucesivas de adobes tengan una superficie de apoyo a nivel.
Refuerzo interno vertical	Transfiere fuerzas laterales a la cimentación y a la viga collar. De esta manera limita: a) La respuesta de flexión fuera de plano y de volteo (que genera grietas en las esquinas, agrietamiento diagonal y volteo de los muros); y b) La respuesta de corte en el plano del muro (que genera agrietamiento horizontal e inclinado).
Refuerzo interno horizontal	a) Incrementa la capacidad resistente al corte vertical en las esquinas (lo que minimiza el agrietamiento vertical en las esquinas y la separación de muros en las esquinas). b) Provee restricción a la propagación de grietas debido a las fuerzas de corte en el plano del muro.
Refuerzo exterior de malla	a) Provee restricción a la flexión fuera de plano tanto en los ejes vertical como horizontal (lo que genera el agrietamiento vertical en las esquinas, el volteo de los muros y el agrietamiento inclinado debido a abultamiento). b) Provee restricción al corte en el plano del muro (que genera fisuración horizontal e inclinada).
Muros	Las proporciones longitud-altura-espesor y la ubicación de las aberturas tienen influencia en la respuesta estructural. Ver IAEE (1986) y RESESCO (1997) para información detallada.
Contrafuertes	Proveen restricción a la respuesta perpendicular al plano del muro, debido a la flexión.
Dinteles	Cambian los patrones de esfuerzos en las esquinas de los vanos de ventanas y puertas, reduciendo de esta manera la fisuración inclinada.
Viga collar	a) Transfiere las fuerzas sísmicas perpendiculares al plano hacia los muros paralelos más estables y restringen la respuesta fuera del plano debido a la flexión alrededor del eje vertical (minimizando así la fisuración vertical en las esquinas, el volteo de los muros y la separación de los muros en las esquinas). b) Distribuye la masa del techo uniformemente sobre los muros (si está adecuadamente fijada), reduciendo de esta manera los puntos de alta concentración de esfuerzos (que generan agrietamiento vertical y el volteo de los muros).
Uniones techo-viga collar-muro	Son esenciales para distribuir las fuerzas entre los componentes y promover la acción efectiva de diafragma.
Estructura del techo	Una buena conexión mejora la redundancia.
Cubierta del techo	Un techo liviano reduce la generación de una gran fuerza sísmica.
Tímpanos	Livianos y bien conectados, reducen la fuerza sísmica y el volteo de los tímpanos altos no restringidos.
Recubrimiento del muro	Debería proteger al muro de la erosión.
Piso	Puede ser usado como diafragma si está reforzado y conectado (no es lo común).

Figura 17
Casa de adobe mejorado que no fue afectada por los terremotos. Proyecto UNES.

construcción mejorada de adobe es reducir la vulnerabilidad de los ocupantes y sus posesiones. Para preservar la vida y minimizar las lesiones, una edificación no debe colapsar o fallar súbitamente. La estructura debe tener suficiente resistencia y ductilidad para permitir a sus habitantes escapar con seguridad durante un evento sísmico, aun si después ocurre el colapso o se requiere su demolición. Para proteger las posesiones familiares, una edificación dañada debe ser lo suficientemente segura como para permitir el volver a entrar a recoger los artículos domésticos y familiares importantes, aun si la edificación requiere demolición posterior.

Comportamiento Sísmico del Adobe Mejorado

La efectividad de los sistemas de adobe mejorado fue demostrada durante los terremotos del 2001 en El Salvador. Algunas edificaciones de adobe mejorado fueron construidas en varias localidades del país antes del 2001, como parte de proyectos de prueba individuales o proyectos de vivienda de mediana escala:

- Una casa pequeña construida en 1999 por la ONG Unidad Ecológica Salvadoreña (UNES) en La Palomera, Santa Ana. La casa modelo incluía refuerzo vertical y horizontal (vara de castilla), contrafuertes y viga collar. Esta casa pequeña no sufrió daño (**figura 17**) y su diseño ha sido repetido por otros proyectos UNES (ver **apéndice C**).
- Una municipalidad construida en 1997 por FUNDASAL en San José de la Ceiba, San Vicente. Esta gran edificación incluía contrafuertes y una viga collar de concreto reforzado (FUNDASAL 1999) y sufrió fisuración menor, que ya ha sido reparada.
- Varias casas construidas bajo la coordinación de Alan Hays (GEOdomus Internacional) en San Francisco de Ayutuxtepeque, San Salvador en 1993, y en San Juan de Letrán, Usulután en 1994. Estas casas tenían refuerzo vertical y horizontal, contrafuertes, vigas collar de concreto reforzado y no sufrieron daño significativo (Hays 2001).
- Más de 300 casas construidas desde 1977 en todo el país por FUNDASAL. Se usaron diferentes diseños, incorporando en las casas algunos o todos los sistemas típicos mejorados (FUNDASAL 1999). *El Diario de Hoy* (2001) informó que estas casas "pasaron el ensayo de los dos terremotos".

Estas edificaciones se comportaron extremadamente bien durante los dos terremotos en algunas de las áreas más afectadas. El daño y la destrucción de casas vecinas hechas de adobe tradicional, bahareque, concreto y mixto confirman el comportamiento mejorado de estas estructuras. Se reconoce que una muestra tan pequeña no representa una distribución estadísticamente confiable, pero sí provee un estímulo significativo a un estilo de construcción en desarrollo. El valor de estos ejemplos en la promoción del adobe mejorado es también reconocido por los defensores del adobe.

Proyectos exitosos de vivienda de adobe mejorado también se han reportado en Guatemala (Rhyner 2003), en Colombia, Perú, Ecuador y Bolivia (INSAFORP 2001) y en Perú (PUCP 2000).

Actitudes hacia la Reconstrucción con Adobe

Comunidades

En muchas comunidades perjudicadas, los residentes preferirían vivir en alojamientos temporales en lugar de en casas de adobe. A la pregunta acerca de la vivienda de adobe, una respuesta común en comunidades rurales ha sido "el adobe no sirve". Este temor es entendible considerando la destrucción generalizada de las casas de adobe durante los terremotos (**figura 6**), pero la mayoría de los residentes locales ignoran los sistemas constructivos de adobe mejorado. Cuando se discuten tales sistemas, la respuesta varía desde un vivo interés hasta fuerte escepticismo.

En las comunidades donde se ha promovido, demostrado e implementado la construcción con adobe mejorado, recién se ha descubierto una cierta confianza en el adobe y en la resistencia y solidez de las casas construidas de esa manera. Sin embargo, algunas organizaciones han enfrentado desafíos significativos en la promoción del adobe mejorado, en algunas comunidades indiferentes hacia tales sistemas mejorados. Esto da lugar a la pregunta tan importante para el desarrollo, acerca de cuánta promoción y esfuerzo de convencimiento debería llevarse a cabo y cuánto debería dejarse a los intereses y motivación de las comunidades, hacia la aceptación y soporte de dichas iniciativas. En el caso del adobe mejorado, hay la necesidad de un componente de promoción debido a que la tecnología es relativamente nueva, sin precedentes. Después de tal promoción, el interés y la organización de la comunidad debería determinar en qué grado se deberían tomar acciones adicionales, si se toma alguna. Las acciones adicionales, que serán determinadas por la disponibilidad de recursos y los intereses y necesidades de la comunidad beneficiaria, pueden incluir talleres, programas de entrenamiento, construcción de una edificación modelo y/o la implementación de un proyecto de vivienda.

Gobierno de El Salvador (GOES)

Después de los terremotos, el Gobierno de El Salvador (GOES) centró sus actividades de construcción de viviendas empleando materiales modernos, en lugar de realizar algún intento de reconstrucción con adobe. Esto es coherente con la actitud del GOES hacia la vivienda de adobe, que no ha experimentado cambios en los últimos tiempos, a pesar de acciones limitadas, tanto de apoyo como de oposición al uso del adobe. En 1946 un decreto legislativo declaró que las estructuras de adobe eran una forma inapropiada de vivienda, particularmente en el área metropolitana. Se afirmó que las estructuras de adobe no podían resistir adecuadamente la actividad sísmica, a pesar de ello, este decreto pasó inadvertido fuera del área metropolitana (*La Prensa Gráfica* 2001). Desde el decreto de 1946, el GOES ha reconocido la permanencia en el tiempo de la vivienda de adobe en El Salvador y la necesidad de reducir la vulnerabilidad de esas estructuras.

En 1997, el GOES, en colaboración con la Asociación Salvadoreña de Ingenieros y Arquitectos (ASIA), produjo un suplemento de adobe al código de edificación de El Salvador, RESESCO. El suplemento se dio como una guía para la construcción mejorada de adobe y se discute en mayor detalle más adelante. Desafortunadamente, el valor potencial del suplemento de adobe del RESESCO ha disminuido por la falta de actividades significativas de seguimiento para apoyar o difundir las ideas presentadas. Estos dos desarrollos históricos indican la conciencia del GOES acerca de la vulnerabilidad de la vivienda de adobe ante terremotos y demuestran su interés en reducir este riesgo, pero para transformar este interés en acciones positivas, el gobierno debe asignar fondos para apoyar la promoción, la capacitación y el desarrollo institucional. Las recomendaciones específicas se discuten más adelante.

La vulnerabilidad sísmica del adobe tradicional puede, sin embargo, explicar de alguna manera la vacilación de los departamentos de gobierno hacia asumir la construcción mejorada de adobe. Un defensor del adobe sugirió que a pesar que el Vice Ministerio de Vivienda y Desarrollo Urbano (VMVDU) del GOES aparentemente no tenía mucho entusiasmo por la construcción de adobe, al menos no se oponía a ella. Parece que el GOES prefiere centrar su interés en la construcción rápida, empleando materiales modernos y dejar al sector de ONG's la promoción e implementación del adobe mejorado.

Algunos observadores han sugerido que se hubiera requerido mayor participación del gobierno local en el proceso de reconstrucción. Parece razonable que el gobierno local debería jugar un papel significativo, particularmente en relación a la construcción con adobe, donde las comunidades rurales aisladas han sido marginadas de los grandes programas coordinados por las oficinas gubernamentales en San Salvador. Este cambio hacia un interés local también encaja con el intento del GOES de descentralizar las operaciones gubernamentales, particularmente las relacionadas con la reducción del peligro y la mitigación del riesgo (UNDP 2001; Wisner 2001). De hecho, dentro de la estructura del GOES ya existe una agencia que es responsable del desarrollo y capacitación de los concejos municipales en El Salvador. Parecería adecuado que esta agencia, ISDEM (Instituto Salvadoreño de Desarrollo Municipal), fuese el mecanismo ideal para aumentar la promoción del adobe y para mejorar la capacidad de las municipalidades locales para alentar las iniciativas de construcción con adobe mejorado. Reconociendo esta necesidad y ante la oportunidad que se presentó en el periodo posterior a los terremotos, ISDEM preparó un borrador de manual acerca de la construcción con adobe mejorado y planificó alguna capacitación para gobiernos municipales, pero su progreso fue interrumpido por falta de financiamiento.

Medios de Comunicación

En el periodo posterior a los terremotos la desconfianza hacia el adobe fue manifestada en los principales medios de comunicación, en varios artículos que proponían el retiro paulatino de las construcciones de adobe y que culpaban al adobe, como material de construcción, por la extensión de los daños. Estos artículos fueron un contratiempo significativo para el movimiento pro-adobe, pero gradualmente el tono de los medios de comunicación cambió. En Marzo del 2001, se publicaron artículos pro-adobe que mencionaban las técnicas de adobe mejorado y el comportamiento de las casas construidas antes de los terremotos. Estos artículos tomaban la opinión de expertos para explicar los aspectos técnicos y sociales de la construcción con adobe (**figura 18**).

La causa del adobe fue apoyada también por la publicación de las estadísticas de daño por DIGESTYC (2001), que reveló que las casas de concreto y mixto no fueron inmunes al daño (**figura 6**). Estas estadísticas apoyaban un cambio en el foco de discusión, del material empleado, hacia la calidad de la construcción y mantenimiento, llegando un ingeniero a comentar que "el problema no es de la tierra, sino cómo se ha usado" (El Diario de Hoy 2001).

Organizaciones No Gubernamentales (ONGs)

La responsabilidad de la construcción con adobe mejorado ha sido asumida por el sector de organizaciones no gubernamentales (ONG), con un apoyo activo mínimo por parte del GOES. Organizaciones locales e internacionales están involucradas en la investigación, promoción, capacitación y construcción con adobe mejorado. Los niveles de acción varían, algunos grupos trabajan para elevar el perfil y la conciencia del adobe mejorado hacia otras instituciones, en tanto otros trabajan a nivel de base dentro de las comunidades.

Cada vez más se considera al adobe mejorado como una alternativa viable a los proyectos de construcción de mediana escala que han tratado de concentrarse en bloques de concreto o construcción de mixto. Después del terremoto muchas organizaciones sin antecedentes sólidos de construcción se han involucrado en proyectos de vivienda de adobe, debido a que el adobe mejorado está en su línea de objetivos sociales, ambientales y culturales.

Un problema clave que enfrentan las organizaciones involucradas en proyectos de vivienda de adobe mejorado es el tiempo. La construcción con adobe es más lenta que la construcción con bloque de concreto o con mixto, particularmente cuando las nuevas técnicas recién están siendo desarrolladas y demostradas. La mayoría de los proyectos de construcción con adobe mejorado visitados como parte de esta investigación, estaban atrasados con respecto a sus cronogramas o habían tomado más tiempo del esperado. Esto se puede atribuir parcialmente a la falta de experiencia y de precedente en proyectos de vivienda de mediana o gran escala con adobe. Sin embargo, en muchos casos la lentitud en la construcción contribuyó al aprendizaje de las organizaciones, que asumieron cambios apropiados en diseño e implementación, según se requirió.

La mayoría de casas destruidas *por los terremotos de 2001 era de adobe. En ellas no se aplicaron adecuadas técnicas de construcción.*

EL ADOBE

Técnicas para un uso seguro

Las casas no se caen por ser de adobe, sino por estar mal construidas. Pero pueden ser mejores

18%
SIN CASAS
▼ Los terremotos dejaron sin vivienda a cerca de un millón cien mil personas (el 18 por ciento) de la población.

60%
DÉFICIT DE VIVIENDA
▼ Antes de 2001, el déficit de vivienda era de cerca del 40 por ciento. Para marzo de ese año, subió a cerca de 60 %

Alonso Rivera
El Diario de Hoy

Cada casa construida es parte de un taller de capacitación. Es el principio bajo el cual, Atlas Logistique, una entidad francesa, ha edificado ya más de mil seiscientas a personas que las perdieron durante los terremotos.

Atlas Logistique no trabaja sola. Tiene como contrapartes internacionales y locales, a diferentes instituciones, entre ellas la Unión Europea, Cáritas Internacional y varias otras.

Aunque es una actividad que desarrollan continuamente, su prioridad no es construir casas.

Es, más bien, capacitar a otras personas para que al edificarlas, lo hagan de forma segura y adecuada.

Esperan que su acción se convierta en un proyecto permanente y eficiente a nivel nacional.

Jean Pierre Bremaud, jefe de Atlas Logistique El Salvador, piensa q quienes intervienen en proyectos de desarrollo, ben sustituir los concep de "terremoto", "pobrez "vulnerabilidad, que ge ran impotencia, por los "prevención", "dignidad "técnicas de reconstr ción", ante las que ya pueden encontrar r oportunidades de acció

El trabajo

Los estudios hechos la institución después de terremotos, les permi definir que en la mayo de viviendas que se rrumbaron, el factor mún fue haber sido co truidas sin aplicar técni básicas y la falta de man nimiento.

Atlas Logistique de rrolla programas de ca citación en construcci Con ello tratan de orien en el uso de técnicas a

PASA A PÁG. SIGUIEN

Figura 18 *Artículo periodístico pro-adobe (El Diario de Hoy 2001).*

Las organizaciones involucradas en la promoción y construcción con adobe mejorado deben hilar fino entre la promoción efectiva de casas y sistemas más seguros y la creación de falsas expectativas en los residentes acerca de la seguridad de sus casas. Esto se puede observar en los nombres que las organizaciones dan a sus sistemas mejorados de adobe: algunos sistemas se denominan "adobe sismorresistente", otros como "adobe seguro" y otros como "adobe mejorado". A pesar de las ventajas publicitarias que declaran alto grado de resistencia sísmica, hay un gran peligro de "sobre vender" el adobe mejorado. Los bajos niveles de educación, combinados con una aceptación generalizada de la opinión de "expertos", hacen que la población local sea vulnerable a desarrollar falsas expectativas.

Financiamiento para Reconstrucción

Los gobiernos y las organizaciones privadas de Asia, Europa, América del Norte, América del Sur y la región del Pacífico han ofrecido financiamiento internacional para la reconstrucción. USAID informó que los donantes internacionales han donado US$1200 millones y que el GOES ha asignado US$260 millones de sus propios fondos a la rehabilitación y reconstrucción luego de los terremotos (USAID 2002b). Las pérdidas por los terremotos fueron consideradas bajo cuatro sectores principales: social (educación, salud y vivienda); infraestructura (electricidad, transporte, agua y desagüe); producción (agricultura, pesca, industria, comercio y turismo); y ambiental. El financiamiento para rehabilitación y reconstrucción ha sido dirigido hacia esas áreas, así como hacia la mitigación del riesgo, la preparación para emergencias y la mejora de la capacidad institucional.

La inclusión de proyectos de adobe mejorado en el proceso de reconstrucción depende de la disponibilidad de financiamiento. Dos donantes claves (USAID y ECHO) se perfilan a continuación, con atención a los retos y oportunidades de los proyectos de adobe, dentro de los límites de cada fuente de financiamiento.

USAID

Para los años fiscales de 2001 y 2002 se planificó una contribución de US$170 millones del Gobierno de los Estados Unidos para apoyar la reconstrucción general luego de los terremotos en El Salvador (USAID 2002a), bajo la supervisión de USAID para la distribución y manejo de estos fondos. En el periodo inmediatamente después de los terremotos, USAID apoyó el esfuerzo de auxilio de emergencia y destinó recursos hacia algunas organizaciones privadas voluntarias (PVOs) de Estados Unidos para la construcción de 22,000 unidades de alojamiento temporal. El programa permanente de reconstrucción de vivienda del USAID ha sido establecido en tres fases distintas, como parte de la restauración de la infraestructura comunal. El 18 de Mayo del 2001, el USAID y el GOES firmaron un acuerdo para la reconstrucción de la infraestructura dañada, incluyendo colegios, hospitales, mercados y casas. Bajo este acuerdo, el FONAVIPO, entidad del GOES, era responsable de la construcción de 3,050 casas para las víctimas de los terremotos (USAID 2002c). También en el 2001, el USAID firmó acuerdos con seis PVO's de los EE.UU. para la construcción de 4,300 casas permanentes (USAID 2002c). En estos acuerdos iniciales, USAID estipulaba que el material requerido para la construcción de las viviendas era el bloque de concreto.

El 25 de Febrero del 2002, el USAID hizo una convocatoria para Pedido de Solicitudes (RFA), mediante la que invitaba a organizaciones a remitir propuestas para proyectos de construcción de viviendas para las víctimas de los terremotos (USAID 2002c). Se asignaron US$50 millones para la construcción de 13,000 viviendas permanentes, lo que equivale a un costo total unitario promedio de US$3,846. El RFA detallaba los requisitos específicos relacionados con los beneficiarios de la vivienda, la selección de la ubicación, la zona geográfica preferente, el diseño de la vivienda, las necesidades de agua y desagüe, las preocupaciones ambientales, las medidas de mitigación del riesgo y la coordinación con instituciones locales. Una selección de componentes del RFA se han reproducido en la **tabla 6** y en la **tabla 10**. Los requisitos del RFA son representativos de aquellos que consideran muchas agencias de ayuda cuando evalúan proyectos potenciales de reconstrucción. Estos aspectos deben ser abordados convenientemente si el adobe mejorado pretende prosperar como un material de construcción viable para proyectos de vivienda a gran escala financiados por agencias.

Aparentemente el desafío más significativo para la construcción mejorada de adobe es el tener que proporcionar evidencia aceptable que "demuestre que cumple con los códigos de construcción establecidos en El Salvador y con los requisitos generales establecidos en el RFA" (USAID 2002d). En primer lugar, evaluaciones rigurosas y confiables (simulaciones reales y virtuales, evaluación del daño por terremoto y ensayos controlados) deben sustentar las especificaciones técnicas del adobe. Esto es difícil debido a la dispersión de la información, a la falta relativa de recursos asignados a la investigación en adobe (comparada con materiales modernos) y a la variabilidad inherente de cada com-ponente del adobe (composición del suelo, config-uración de la albañilería, técnicas constructivas). En segundo lugar, el código de construcción relevante es un suplemento para adobe del Código de Construcción

Tabla 10 *Cumplimiento del adobe con los requisitos del RFA*

Requisito RFA (USAID 2002c)	Desafíos para el Adobe	Oportunidades para el Adobe
• Los proyectos deben concluir dentro de los 18 meses del otorgamiento de la donación. El número mínimo de casas por proyecto es 500.	• Falta de precedente en construcción de adobe a gran escala. • Generalmente el proceso constructivo es más lento (comparado con materiales modernos)	• La mayor experiencia y los sistemas mejorados incrementarán la factibilidad y posibilidad de proyectos a gran escala de adobe mejorado. • Las unidades de adobe podrían ser fabricadas previamente en un lugar central.
• El financiamiento es otorgado sobre la base de competitividad, por lo tanto una consideración clave es la relación costo-efectividad	• Falta de información económica detallada de los costos reales de la construcción con adobe. • Los costos de mano de obra pueden ser mayores debido al mayor tiempo de construcción.	• El adobe es un material de construcción más económico. • La fabricación de las unidades puede ser realizada por los beneficiarios.
• Dado el contexto local y cultural, debe ser factible y apropiado.	• Cambio cultural de los materiales tradicionales a los modernos (**figura 2**).	• El adobe es un material de construcción tradicional y de uso común en El Salvador (**figura 2** y **figura 5**).
• Debe ser diseñado para evitar temperaturas extremas dentro de las casas (considerando el clima tropical de El Salvador, con rangos de temperatura promedio entre 15.6°C y 36°C).	• Frecuentemente el uso de un techo liviano, como se recomienda en la construcción mejorada de adobe, tiene propiedades térmicas adecuadas.	• Las propiedades térmicas del adobe son excelentes.
• Debe cumplir con especificaciones técnicas reconocidas local e internacionalmente, tales como RESESCO, ASTM, ACI, AISC u otros.	• La evaluación y comprobación del cumplimiento. • La integridad de las especificaciones (esto es, si son suficientemente rigurosas) (Estos aspectos se discuten en mayor detalle más adelante).	• El diseño y construcción actual de adobe mejorado parece satisfacer las especificaciones relevantes (RESESCO, IAEE).
• Debe tener larga durabilidad, con una expectativa de vida útil mínima de 25 años.	• La evaluación y comprobación de la durabilidad de los materiales nuevos (esto es, del refuerzo de bambú). • Capacitación en mantenimiento adecuado.	• Si es adecuadamente construido y mantenido, el adobe ha probado ser un material durable.
• Debe retardar el fuego.	• La estructura del techo de madera es susceptible a daño por fuego.	• El adobe tiene excelentes propiedades como retardador de fuego.

Requisito RFA (USAID 2002c)	Desafíos para el Adobe	Oportunidades para el Adobe
• Debe consistir de materiales de fácil reparación, mantenimiento y remodelación, usando productos de bajo costo disponibles localmente y que no requieran de técnicas especializadas.	• Capacitación en reparación adecuada, mantenimiento y remodelación.	• En este requisito, el adobe tiene una fuerte ventaja sobre otros materiales de construcción.
• Debe ser de materiales que resistan la humedad, el moho, las termitas y otras intrusiones de insectos.	• La evaluación y comprobación de la capacidad resistente de los materiales nuevos (por ejemplo el refuerzo de bambú). • La protección de los muros requiere mantenimiento y atención continuos.	• El adobe puede ser protegido de la erosión y del ataque de los animales. Algunos sistemas incluyen: sobrecimiento, membrana impermeable y recubrimiento de muros (usando combinaciones de suelo, cemento, arena, cal, asfalto, paja, excremento de vaca, goma de cactus y aceites naturales).
• Estimular estrecha cooperación con el GOES y las instituciones locales e internacionales.	• Posible implicación con grupos que pueden no apoyar la construcción de adobe.	• Con la recomendación de otras instituciones hay más oportunidad de mejorar el perfil y la aceptación del adobe.
• Sólo compañías de EE.UU. u organizaciones privadas voluntarias (PVO) de EE.UU. son elegibles para el financiamiento del USAID.	• Las organizaciones locales e internacionales que no son de EE.UU. y que pueden tener experiencia en construcción en adobe no son elegibles.	• No hay oportunidades específicas para el adobe.
• Énfasis en análisis y buena práctica ambiental.	• El impacto potencial de usar cantidades significativas de suelo de una misma ubicación.	• El adobe es un material natural, reciclable, renovable y de bajo consumo energético.

Salvadoreño (RESESCO), pero este suplemento es un documento con recomendaciones generales, sin respaldo legal. Los aspectos específicos del suplemento de adobe del RESESCO se discuten en mayor detalle más adelante.

ECHO

La Oficina de la Comisión Europea de Ayuda Humanitaria (ECHO, por sus siglas en inglés) hizo un llamado para presentación de propuestas a principios de Marzo del 2002 con el fin de emprender un programa de capacitación para la construcción mejorada de viviendas, centrando la atención en el uso de materiales tradicionales, tales como adobe y bahareque. El proyecto se diseñó teniendo como objetivo áreas rurales aisladas en la que hubiese aceptación de las prácticas constructivas tradicionales. El componente de capacitación fue descrito como "capacitación de albañiles y voluntarios comunales en las técnicas constructivas antisísmicas usando el adobe como material" (ECHO 2002a). A fines de Abril del 2002, ECHO anunció que 528,000 Euros (US$475,000 en ese momento) habían sido destinados para este propósito (ECHO 2002b).

El documento de ECHO invitando a presentar propuestas precisaba que el defecto clave del programa nacional de reconstrucción era la incapacidad de satisfacer las necesidades de vivienda de toda la

Figura 19 *Casa de adobe mejorado. Proyecto Atlas.*

población afectada, lo que dejaba sin ayuda a las comunidades rurales más apartadas. El documento de ECHO reconocía las necesidades inmediatas de vivienda y el enfoque de este proyecto estuvo centrado en aumentar la capacidad de la población afectada para ayudarse a si mismos. Este enfoque de desarrollo sostenible ha dado un tremendo incentivo a aquellos que promocionan el uso de materiales tradicionales para la vivienda. ECHO claramente ha indicado su apoyo para las prácticas de desarrollo de las habilidades que se requieren para reducir la vulnerabilidad de la vivienda local sin aumentar la dependencia en la asistencia técnica en curso. A pesar que el financiamiento representa sólo 1% del apoyo reciente de USAID, ha sido un fuerte respaldo para la construcción de adobe mejorada.

El financiamiento de ECHO fue otorgado a la ONG francesa Atlas Logistique, que ha estado involucrada en los proyectos de construcción de viviendas de adobe mejorado después de los terremotos en El Salvador (**figura 19**). Los detalles del proceso y el avance del programa de capacitación financiado por ECHO, así como otros proyectos de construcción de Atlas Logistique se presentan después.

Otras Fuentes de Financiamiento

Las organizaciones involucradas con la construcción de adobe mejorado han recibido el apoyo de donantes internacionales que han reconocido la importancia del adobe en el proceso de reconstrucción. Australia, Canadá, Cuba, la Comunidad Europea, Francia, Alemania, Irlanda, Reino de los Países Bajos, Perú, España, el Reino Unido, EE.UU y otros países han otorgado financiamiento y apoyo para construcciones con adobe mejorado. Generalmente estos donantes también han reconocido el incipiente prestigio del adobe mejorado y han colocado restricciones menores a los proyectos, particularmente en relación con el cronograma de ejecución del proyecto. Un número de organizaciones destacó la importancia de esta flexibilidad para establecer cronogramas para los proyectos y experimentar con distintos enfoques constructivos.

Seminarios de Adobe y Programas de Capacitación

Apoyo Urbano

A fines de Abril del 2001 la ONG Apoyo Urbano, en colaboración con la Embajada Francesa de El Salvador y las instituciones locales CONCULTURA y COMURES, llevó a cabo un taller de discusión acerca de la reconstrucción con geomateriales (Hays 2001). Cuarenta y cuatro representantes de ONGs locales e internacionales, incluyendo el GOES y universidades Salvadoreñas asistieron al taller. En el taller las discusiones estuvieron relacionadas con la reconstrucción de viviendas en El Salvador, el uso de sistemas tradicionales de construcción y el resurgimiento de la herencia cultural dañada.

A inicios de Mayo del 2001, Apoyo Urbano, nuevamente con la colaboración de la Embajada Francesa de El Salvador, CONCULTURA y COMURES, promovió una presentación por Alan Hays, experto Francés en geomateriales de GEOdomus Internacional. Hays estuvo involucrado en proyectos de construcción con adobe mejorado en El Salvador en 1994 y estuvo dos semanas antes de la presentación visitando las áreas afectadas y participando en talleres y discusiones. Aproximadamente 170 a 200 representantes de instituciones gubernamentales y no gubernamentales, así como delegados de universidades, científicos y profesionales asistieron a la presentación (Hays 2001). Hays discutió aspectos de los efectos de los terremotos en las edificaciones en El Salvador y el uso de geomateriales en la construcción de estructuras resistentes a los sismos.

INSAFORP

A inicios de mayo del 2001, el Instituto Salvadoreño de Formación Profesional (INSAFORP) condujo en El Salvador un seminario de dos días de capacitación y promoción. El seminario fue apoyado por el GOES y estuvo diseñado para aumentar la promoción del adobe entre las instituciones. Fue conducido por dos expertos en adobe (Daniel Torrealva y Francisco Ginocchio) de la Pontifica Universidad Católica del Perú. Cerca de 150 personas asistieron al seminario, representando universidades, instituciones y ONGs (INSAFORP, comunicación personal 2002).

UCA

En Julio del 2001, la Universidad Centroamericana "José Simeón Cañas" (UCA) organizó una serie de seminarios acerca de la construcción con adobe en El Salvador, para compartir ideas, experiencias y detalles técnicos acerca del adobe mejorado. Representantes de las municipalidades gubernamentales locales, el GOES y las ONGs asistieron a estos seminarios. Algunos participantes sugirieron que los seminarios fueron una buena introducción a los principios del adobe mejorado y un medio efectivo para la transferencia de la información, sin embargo, otros informaron acerca de secretos y competencia entre instituciones, lo que evitó una discusión transparente acerca de los hechos, fallas y enfoques de los distintos proyectos. También se notó la falta de presencia de los beneficiarios, refiriéndose que el lugar donde se llevaron a cabo los seminarios (UCA en San Salvador) restringió la participación de las partes interesadas, provenientes de las áreas afectadas en todo el país.

Atlas Logistique – ECHO

El proyecto Atlas Logistique, financiado por ECHO debía comenzar en Mayo del 2002 y tomar nueve meses. Como parte del programa de capacitación, los planes iniciales incluían la construcción de 150 edificaciones comunales en 150 comunidades diferentes. Se anticipó que cada proyecto comunal tomaría tres meses, que incluirían preparación, entrenamiento y la construcción de la edificación comunal (posta, municipio, centro cultural). Los miembros de la comunidad fueron invitados a participar en el programa de capacitación y los grupos de trabajo estuvieron organizados de manera que cada grupo trabajó uno o dos días completos cada semana. El propósito de este sistema de rotación fue permitir que cada participante se involucre en cada una de las etapas del proceso constructivo, sin interrumpir totalmente sus actividades y obligaciones normales. Atlas identificó la necesidad de mantener alguna flexibilidad con los métodos constructivos y los materiales, de esta manera cada comunidad trató de utilizar los recursos disponibles.

Con este propósito, el manual de capacitación de Atlas es un documento simple e ilustrativo que presenta los principios generales de la construcción mejorada de adobe, pero no contiene información técnica detallada. El diseño y construcción de las edificaciones comunales como parte del programa de capacitación sigue el mismo método que los proyectos de vivienda de Atlas Logistique, cuyas características están descritas en el **apéndice C.**

ISDEM

El Instituto Salvadoreño de Desarrollo Municipal (ISDEM) es parte del GOES y es responsable del fortalecimiento de la capacidad institucional del gobierno local (municipalidades) en El Salvador. Ellos están involucrados en los programas de capacitación y apoyo y ven el proceso de reconstrucción como una oportunidad para reconstruir no solo la infraestructura dañada, sino también la estructura institucional. Los representantes del ISDEM revelaron que ellos han producido un manual de construcción de adobe mejorado y han planificado llevar a cabo un programa de capacitación en adobe mejorado que involucra a las municipalidades afectadas por los terremotos. A pesar del gran interés y demanda, ellos están teniendo dificultades para obtener financiamiento para este programa. Esto es decepcionante, porque las municipalidades son un vínculo fuerte con las comunidades locales y juegan un papel central en el proceso de reconstrucción.

Publicaciones de Adobe

Manual de Adobe de la Asociación Equipo Maíz

El 5 de Abril del 2001, la Asociación Equipo Maíz publicó un manual de construcción de adobe en idioma español con el título de *La Casa de Adobe Sismorresistente*. Este manual es una compilación cooperativa, que incluye los esfuerzos y el apoyo de técnicos, ingenieros y arquitectos de organizaciones locales e internacionales. El libro es una guía amigable hacia la construcción de una casa de adobe con resistencia sísmica mejorada (**figura 20**). Se produjeron tres mil copias del manual y hasta febrero del 2002, la mitad había sido distribuida entre ONGs, grupos comunales y municipalidades. Equipo Maíz es una organización establecida y con buena reputación que ha ayudado en la promoción y aceptación de este libro y las ideas contenidas en él. El manual consiste de una introducción y tres capítulos: 1) acerca del adobe, terremotos y otras dudas; 2) fabricación de buenas unidades de adobe; y 3) construcción, incluyendo los materiales y herramientas requeridos, selección de la ubicación, acondicionamiento del terreno, cimentación, refuerzo, sobrecimiento, muros, mortero, dinteles, viga collar, techo y acabado de los muros. Las especificaciones técnicas de diseño del manual de adobe del Equipo Maíz se presentan en el **apéndice B**.

El manual es una excelente fuente de capacitación, con muchas sugerencias útiles relacionadas a la construcción de adobe mejorado e incluye el aporte y el respaldo de muchos profesionales de gran reputación. También es una publicación oportuna, ya que fue preparada y producida como una rápida respuesta a la devastación de los terremotos. El libro es muy gráfico, con excelentes dibujos que son atractivos a la par que informativos. Las ilustraciones reflejan los aspectos culturales, políticos y sociales de El Salvador y permiten que la población local se identifique con los temas presentados. Las ilustraciones detalladas tienen en cuenta la poca alfabetización de los lectores. El manual tiene un costo muy accesible (US$2.86) y no duda en presentar los aspectos sociales y políticos del proceso de reconstrucción y de la construcción con adobe.

La limitación principal del libro es que carece de profundidad y detalle técnico, particularmente en las últimas secciones. Llama la atención que sólo una página está dedicada al techo, y que no se dan detalles acerca de la estructura del techo ni de la conexión, tan importante, entre la viga collar y el techo. Se teme que la proporción de la mezcla sugerida en el manual ("una bolsa de cemento por doce carretillas de suelo" [menos del 3% en masa]) pueda dar lugar a la producción de bloques de baja calidad. Los expertos recomiendan que se hagan y se ensayen varios bloques de prueba con diferentes proporciones de mezcla, antes de la fabricación de grandes cantidades de bloques estabilizados. Mas aun, los bloques estabilizados con cemento deberían ser sometidos a curado húmedo por lo menos durante los primeros siete días después de su fabricación.

Algunos observadores ha sugerido que el manual de adobe del Equipo Maíz ha perdido algo de su valor como manual de construcción, debido al fuerte comentario político y social. El libro contiene comentarios e ilustraciones que conllevan críticas a la clase alta, al GOES, a los bancos, a la industria de la construcción y a los promotores inmobiliarios.

El Suplemento de Adobe de RESESCO

El código de construcción de El Salvador, "Reglamento para la Seguridad Estructural de las Construcciones" (RESESCO) fue publicado en 1994. En 1997 se produjo un suplemento de adobe que brinda una serie de recomendaciones para el diseño y la construcción con adobe. Debido a que la construcción con adobe era realizada de una manera informal, particularmente en la zona rural de El Salvador, resulta natural y razonable que las recomendaciones contenidas en el suplemento no son requeridas legalmente. Este aspecto, sin embargo, da lugar a la pregunta si las edificaciones construidas de acuerdo al suplemento de adobe de RESESCO satisfacen los requerimientos de algunas instituciones (por ejemplo USAID) en el sentido que los diseños y los materiales deben cumplir los códigos de construcción locales. Entre sus fortalezas, sin embargo, están muchas sugerencias prácticas y efectivas para la construcción mejorada de adobe, que son consistentes con las pautas aceptadas internacionalmente. El suplemento fue preparado por individuos experimentados y respetados, que representan universidades locales e instituciones públicas y privadas.

La limitación principal de la guía es la falta de detalles relacionados con las conexiones tan importantes entre el muro, la viga collar y la estructura del techo, así como una falta de énfasis en la configuración general para una edificación sismorresistente. El suplemento se presenta más como un manual general de construcción que como un código detallado de edificación. Un lector puede presumir que su contenido representa la única forma aceptable para la construcción mejorada de adobe, cuando en realidad existen muchas variantes aceptables.

Otras Publicaciones

Varias otras publicaciones de adobe mejorado están circulando en El Salvador. Estas incluyen manuales simples de construcción, para acompañar sesiones de capacitación (tales como los de Atlas Logistique 2002), manuales de Cuba (Peréz 2001) y Perú (Reglamento Nacional de Construcciones 2000) y manuales elaborados por la Asociación Internacional de Ingeniería Sísmica (Guías para la Construcción No Ingenieril Resistente a los Terremotos 1986). Estas publicaciones contienen los resultados relevantes de la investigación importante realizada en adobe en distintas partes del mundo y constituyen una significativa fuente de información y apoyo al proceso de reconstrucción en El Salvador.

Figura 20
Portada del manual de adobe del Equipo Maíz (2001).

Proyectos de Construcción de Adobe Mejorado

Varios proyectos a mediana escala de hasta 40 casas se están llevando a cabo en las áreas afectadas por los terremotos, en los que su objetivo principal es la provisión de casas permanentes para las familias afectadas. El objetivo secundario de estos proyectos es la promoción del adobe como material de construcción y la capacitación de los participantes en una construcción de adobe mejorado. Las organizaciones involucradas en proyectos de vivienda de mediana escala incluyen ASDI, Asociación El Bálsamo, Atlas Logistique, FUNDASAL, Trocaire Irlanda y UNES. En el **apéndice C** se presentan las especificaciones de diseño y construcción de varios proyectos.

Los proyectos a pequeña escala consisten en la construcción de una a tres edificaciones que sirvan como locales comunales o casas individuales. El objetivo principal de estos proyectos es la promoción de prácticas constructivas más seguras en adobe y la capacitación de los participantes en la construcción de adobe mejorado. Otros objetivos importantes incluyen la provisión de infraestructura comunal (municipio, centro cultural, posta médica o guardería) o de vivienda para familias vulnerables, así como la oportunidad de evaluar los valores y limitaciones del adobe mejorado. Las organizaciones involucradas en proyectos de construcción a pequeña escala incluyen Expedición El Salvador, Fundación Boll, Las Mélidas, OIKOS, UCA, UNES y otros.

Las especificaciones generalizadas de diseño y construcción de los proyectos de adobe en El Salvador se presentan en la **tabla 11**. La información presentada se basa en visitas a obras (discusiones, notas de campo, fotografías) y en la revisión de los planos de construcción y otra documentación relacionada a los proyectos, además de investigación externa. La información detallada se presenta luego en un caso de estudio de un proyecto de edificación de una guardería en una pequeña comunidad rural.

Fortalezas

Cada proyecto y organización tiene ventajas y desventajas diferentes. Los distintos proyectos de vivienda de adobe mejorado tienen las siguientes fortalezas:

- Promoción exhaustiva y programa de capacitación previos al inicio.
- Construcción en una comunidad existente, en terrenos para beneficiarios, con acceso a servicios e instalaciones y con poca perturbación a la estructura comunal.
- Construcción de una casa modelo al inicio para demostrar la técnica y entrenar a los constructores y beneficiarios.
- Participación de beneficiarios en aspectos del diseño, la construcción y el manejo del proyecto.
- Fuerte interés y participación comunal.
- Trabajo a largo plazo con la organización comunal.
- Organización local con antecedentes y experiencia en construcción comunal con adobe.
- Construcción económica, simple y relativamente rápida.
- Interés en emplear el suelo local disponible para la fabricación de bloques.
- Buena consistencia de los materiales.
- Excelente supervisión y control de calidad.
- Fuerte interés en el desarrollo de capacitación y entrenamiento.
- Consideraciones ambientales adecuadas en la construcción.
- Provisión para ampliación futura de la casa.
- Techo a cuatro aguas para mejorar la protección contra la lluvia.
- Capacidad para la rápida construcción de la estructura del techo, con el propósito que sirva como albergue inmediato, con la adición posterior de los muros permanentes.

Tabla 11 *Diseño generalizado y especificaciones constructivas de proyectos de vivienda de adobe mejorado en El Salvador.*

Ubicación	Construida en terrenos para beneficiarios de comunidades existentes, o en comunidades recientemente establecidas.
Supervisión	Los grupos de trabajo beneficiarios.
Mano de Obra	Técnico, capataz y/o ingeniero.
Capacitación Inicial	Varía desde un taller de discusión simple hasta la construcción de una casa modelo.
Dimensiones	Dimensiones internas varían entre 16 y 30 m^2.
Cimientos	Construidos con piedras y mortero arena-cemento, con o sin refuerzo. Los cimientos generalmente son de 30 a 50 cm de profundidad y de 40 a 60 cm de ancho.
Sobrecimiento	Construido con piedras y mortero arena-cemento, sin refuerzo. Las dimensiones del sobrecimiento son generalmente de 15 a 30 cm de alto y de 30 a 40 cm de ancho (**figura 21**).
Membrana aislante	Algunas veces se coloca una capa de lámina de plástico entre el sobrecimiento y el mortero que recibe la primera hilada de bloques de adobe.
Tierra para adobe	Puede ser seleccionada localmente o importada de áreas vecinas. Se usan varias proporciones de mezclas de suelo y en algunos casos se añade paja al barro.
Juntas de mortero	De 2 a 3 cm de espesor.
Refuerzo Vertical	Usualmente consiste de caña local o bambú (vara de Castilla) colocada a distancias que varían entre 48 y 80 cm. Este refuerzo va desde la cimentación o el sobrecimiento hasta la viga collar (**figura 21**).
Refuerzo Horizontal	Usualmente consiste de caña o bambú partido en configuración escalonada, colocada en las juntas de mortero cada dos o cuatro hiladas (**figura 22**). En algunos casos, el refuerzo horizontal se reemplaza por una viga collar continua y reforzada colocada a la mitad de la altura del muro.
Muros	Generalmente de 30 cm de ancho, excepto en el caso de los proyectos Atlas, en los que los muros son de 40 cm de ancho.
Contrafuertes	Generalmente se incorporan en las esquinas y en ubicaciones intermedias en muros largos. En algunos proyectos los contrafuertes son tan pequeños como de 16 cm, otros son de 32 cm y el tamaño más grande de contrafuerte es 42 cm.
Dinteles	Hechos de madera, concreto reforzado o suelo-cemento reforzado.
Viga collar	En algunos proyectos la viga collar consiste de bloques moldeados de suelo cemento con ranura central tipo "canal", que contiene refuerzo continuo (bambú o varillas de acero) y que se rellena con suelo-cemento o con una mezcla de cemento-arena (**figura 23**). En otros casos se levanta un encofrado, se coloca el refuerzo y se llena con suelo cemento o con una mezcla de cemento-arena.
Conexión viga collar-muro	Generalmente se logra mediante el amarre con alambre entre el refuerzo vertical y el refuerzo de la viga collar.
Conexión techo-viga collar	Se logra con correas de alambre o arandelas conectadas al refuerzo de la viga collar. Una excepción a esto es el diseño Atlas, donde el techo es una estructura independiente sin conexión a los muros ni a la viga collar.
Estructura del techo	De madera o de secciones "C" de acero. Puede ser techo a una, dos o cuatro aguas.
Cubierta del techo	Varía desde calaminas de lámina de zinc con aluminio hasta tejas de microcemento.
Tímpanos	Las variaciones incluyen adobe, bambú, madera, abiertos (sin cerramiento).
Recubrimiento de muro	Las opciones incluyen enlucido de cal-arena-cemento, enlucido de cal- suelo-arena, enlucido con el suelo del adobe.
Piso	Capa de concreto o tejas de piso en algunos casos.

Figura 21
Sobrecimiento de concreto y refuerzo vertical de bambú, proyecto ASDI-Trocaire.

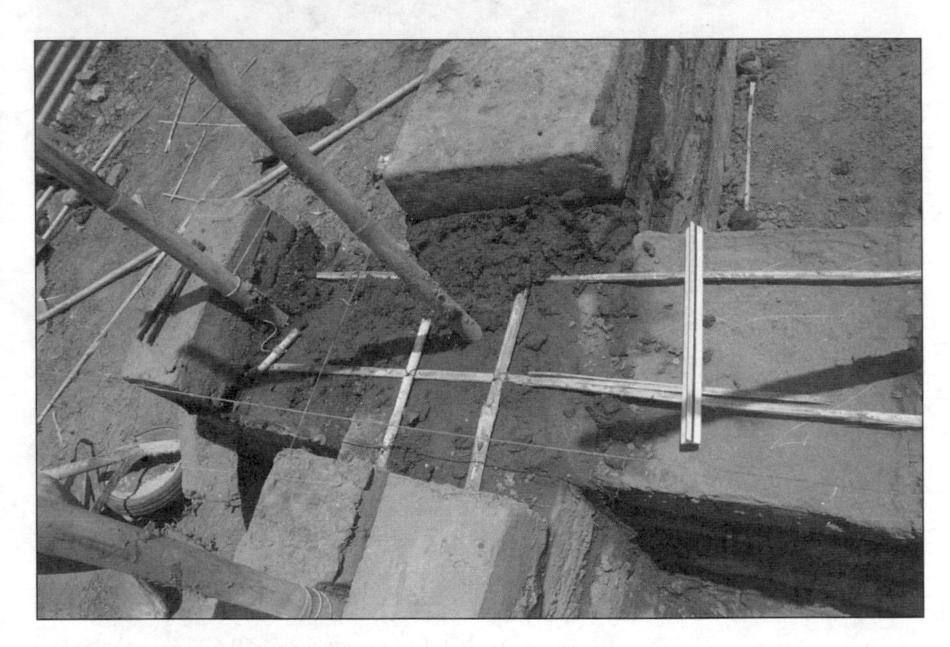

Figura 22
Refuerzo vertical y horizontal y construcción de contrafuerte, proyecto Atlas.

Figura 23
Viga collar: bloques moldeados y refuerzo de acero, proyecto UNES.

Limitaciones

Algunos proyectos de vivienda de adobe mejorado tienen las siguientes limitaciones:

- Problemas con la organización comunal y la voluntad de participación. Recomendación: asignar recursos adecuados para facilitar la participación de la comunidad en el proyecto.
- Cronograma lento de construcción. Se espera que esto mejore conforme las organizaciones adquieran experiencia en el manejo de proyectos de adobe.
- Problemas logísticos importantes, incluyendo el transporte de agua hacia la comunidad.
- Falta de refuerzo horizontal en la cimentación, con la consecuencia que no se transfieren las fuerzas del refuerzo vertical hacia la cimentación y el suelo.
- Posible desarrollo de fisuras o zonas débiles debido al uso de machete para trizar los huecos de los bloques necesarios para el refuerzo. Se pueden hacer moldes con huecos.
- Mayor complejidad originada por los distintos espaciamientos del refuerzo vertical. Esto puede crear problemas en la etapa de construcción y se puede superar cambiando el diseño o haciendo esquemas con detalles constructivos.
- El refuerzo vertical de bambú sobresale de la viga collar, quedando expuesto al ataque de insectos. Recomendación: cortar las varillas de bambú antes del vaciado del concreto de la viga collar, dejándolas embutidas dentro del concreto.

Figura 24
Construcción de la guardería, proyecto Expedición El Salvador.

- Casas de una sola habitación. Un prestigiado ingeniero local recomendó que cada casa debería tener un mínimo de tres dormitorios: uno para adultos, uno para niños y uno para niñas. El comentó que esto podría reducir la incidencia de abuso de niños, lo que es un problema serio en algunas áreas.
- Los sistemas usuales de conexión entre el muro y la viga collar proporcionan una resistencia mínima al levantamiento del techo. La conexión débil entre el refuerzo vertical y el refuerzo de la viga collar sólo resiste movimientos horizontales de corte (**figura 23**). Recomendación: incluir alguna forma de sujeción (amarre con alambre, nylon o malla) para incrementar la resistencia al levantamiento.
- Las casas con tímpanos abiertos no son seguras ante intrusos. Recomendación: diseñar y construir casas que sean totalmente seguras.
- Muro expuesto en la parte trasera en casas con techo a una sola agua.
- Costo y complejidad adicional del techo a cuatro aguas.
- Costo adicional de la estructura individual (columnas de madera) para soportar el techo.
- Vulnerabilidad de las columnas de madera (colocadas en el suelo) ante el ataque de insectos.

Caso de Estudio: Expedición El Salvador, El Condadillo

El proyecto *Expedición El Salvador* incluyó la construcción de una guardería empleando los principios del diseño y construcción de adobe mejorado. El proyecto estuvo ubicado en la pequeña comunidad rural de El Condadillo, que está en la municipalidad de Estanzuelas, situada en la parte norte de Usulután. El tiempo total del proyecto fue de aproximadamente 11 meses (enero a diciembre del 2002) y la parte dedicada a la construcción fue cerca de 4 meses (agosto a diciembre del 2002). El proyecto tuvo un beneficio triple: proporcionó un servicio comunal importante (**figura 24**); sirvió como una práctica del programa de capacitación en la construcción mejorada de adobe, ya que los miembros de la comunidad local participaron en cada etapa de la construcción (**figura 25**); y permitió adquirir experiencia valiosa e información práctica acerca de los aspectos técnicos y sociales de los proyectos de construcción con adobe y de desarrollo comunal. Las especificaciones de diseño y construcción para la edificación se presentan en el **apéndice D**.

El proyecto comenzó a principios del 2002, cuando un grupo de entusiastas estudiantes de ingeniería civil y ambiental del Imperial Collage de Londres se dirigieron a uno de sus profesores, Dr. Julian Bommer, con la idea de llevar a cabo alguna forma de proyecto de desarrollo comunal en el extranjero durante sus vacaciones de

Figura 25
Capacitación comunal y demostración promocional, proyecto Expedición El Salvador.

verano (julio-setiembre 2002). Bommer tiene abundante experiencia y muchos contactos en El Salvador, de manera que se empezó a desarrollar la idea de un proyecto involucrando la construcción con adobe mejorado en El Salvador. En marzo del 2002, el alcalde de la municipalidad de Estanzuelas visitó Londres en búsqueda de apoyo para sus electores afectados por los terremotos, en sus esfuerzos de reconstrucción. El Alcalde Solano se reunió con Bommer y sus representantes estudiantiles y se estableció un convenio para trabajar en Estanzuelas.

La preparación y el desarrollo del proyecto continuó en El Salvador, el Reino Unido y Australia entre marzo y agosto del 2002 . Hubieron reuniones comunales en El Condadillo, iniciativas para recaudar fondos, diseños preliminares, logística, asignación del terreno, preparación del grupo y comunicaciones locales e internacionales (involucrando a miembros de la comunidad, delegados del gobierno municipal, representantes de las ONGs y estudiantes y profesores de las universidades).

El diseño de la edificación, una guardería, combinó sistemas constructivos de adobe mejorado en uso, con algunas nuevas propuestas. El diseño satisfacía el criterio de diseño sísmico perfilado en las Guías para la Construcción No Ingenieril Resistente a los Terremotos (IAEE 1986) y en el suplemento de adobe de RESESCO. El diseño experimentó algunos cambios durante el desarrollo del proyecto debido a limitaciones en el terreno, aporte comunal, y nuevas ideas y lecciones aprendidas.

En agosto del 2002 comenzó la etapa de construcción del proyecto. La construcción fue asumida por los voluntarios de la comunidad y por nueve estudiantes del Imperial College de Londres, con el apoyo y la dirección de un constructor Salvadoreño y del autor de este reporte. Durante un periodo de cinco semanas, se fabricaron aproximadamente 2000 bloques de adobe (**figura 26**), el terreno fue limpiado y nivelado, se colocaron los cimientos (excavación [**figura 27**], refuerzo, piedras y concreto), se construyó el sobrecimiento (encofrado, piedras y concreto), y se colocaron las primeras hiladas de adobe. Después que los estudiantes se fueron, a mediados de setiembre, se completaron los muros (**figura 28**), se colocaron las puertas y las ventanas, se construyó la estructura del techo para la edificación y la entrada, se ubicó la lámina de techo sobre la edificación, se excavó el área de cocina, se vaciaron los pisos internos de la entrada y de la cocina (con concreto) y se hicieron algunas instalaciones de desagüe. A principios de diciembre se completaron las etapas finales de la construcción, que incluyeron la colocación de la lámina de techo de la entrada, el "pulido" de los muros (a prueba de agua y polvo), instalaciones de desagüe y jardines, colocación de la malla de seguridad en los tímpanos, conclusión de la letrina, construcción del muro de la cocina y el arreglo general del lugar. A principios del 2003 los esfuerzos se dirigieron hacia la obtención de conexiones de electricidad y de agua potable.

Figura 26
Fabricación de bloques, proyecto Expedición El Salvador.

Figura 27
Excavación del terreno, proyecto Expedición El Salvador.

Figura 28
Construcción de muro, mostrando el sobrecimiento los contrafuertes y el refuerzo vertical, proyecto Expedición El Salvador.

El proyecto se enriqueció por ser una acción conjunta de colaboración que involucró a la comunidad local, al gobierno local, a organizaciones no gubernamentales locales, a instituciones internacionales y a universidades (en El Salvador, el Reino Unido y Australia). Los costos directos de construcción en el país fueron US$5,000, que incluyeron materiales, herramientas y mano de obra (maestro de obra). Estos costos fueron cubiertos con fondos del CAFOD UK. Los gastos del grupo y otros gastos adicionales del proyecto fueron aportados por la Embajada Británica en El Salvador, Shell, donantes del UK, UTS, y los ahorros personales de los participantes. La Asociación Fe y Trabajo, la comunidad de El Condadillo, GESAL, GOAL, el Imperial College de Londres, La Municipalidad de Estanzuelas, Melvin Tebbutt, UES, UNES, la Universidad de Tecnología de Sydney, WFP/PMA, y otros aportaron donaciones en especies tales como herramientas, materiales, equipo, mano de obra y soporte técnico.

A la finalización del proyecto le faltaron retos. Hubieron algunas deficiencias en la preparación y ejecución del proyecto, entre ellas una subestimación de los recursos requeridos (tiempo, mano de obra, habilidades, apoyo) y una confusión relacionada con la distribución de los roles y responsabilidades entre las partes involucradas. Hubieron limitaciones significativas en el lugar de construcción: terreno pequeño, zona en pendiente conteniendo un gran árbol con un amplio sistema de raíces, falta de conexión directa de agua potable y dificultad de acceso al terreno. Mas aun, la comunidad mostró una falta de interés y de participación generalizada y consistente, habiéndose involucrado activamente en el proyecto sólo una pequeña porción de la comunidad.

Los costos fueron relativamente altos, debido principalmente al alto factor de seguridad adoptado por la función de la edificación (guardería, **figura 29**), a la incertidumbre acerca de la capacidad real de los materiales y del sistema, a las limitaciones del terreno y a la necesidad de comprar y transportar la tierra. El clima también incrementó el costo, ya que trabajar en la época de lluvias limitaba las actividades a ciertas horas y requería cubrir los bloques durante su fabricación, curado y almacenamiento. Durante el desarrollo del proyecto varios cientos de bloques fueron dañados por la lluvia.

No obstante los desafíos, se anticipa que en esa comunidad se construirán casas más seguras en el futuro, aun si sólo se emplean algunos de los sistemas de mejoras.

El proyecto enseñó lecciones valiosas:

- Se deben establecer términos de referencia muy claros en los que se identifique los roles y responsabilidades de los participantes y colaboradores del proyecto.

- Antes del proyecto se debe hacer una evaluación exhaustiva y detallada de la comunidad y del proyecto. Se deben considerar completamente las necesidades, intereses y disponibilidad de la comunidad e incorporarlos en el diseño y administración el proyecto. La comunidad debe estar involucrada en todos los aspectos de la preparación y ejecución del proyecto.
- Un representante de la municipalidad local debe ser designado al proyecto y todas las discusiones municipales y acuerdos deben hacerse con este representante.
- Se debe contratar a un promotor social activo y eficiente para facilitar la discusión comunal, la evaluación de necesidades e intereses, la preparación de un contrato comunal y la organización de los grupos de trabajo.
- Debe asignarse suficiente tiempo y recursos para administrar eficientemente la participación y contribución de los participantes y colaboradores del proyecto, particularmente cuando éste involucra a muchos individuos y organizaciones.
- Debe incluirse un manual de diseño, construcción y mantenimiento que introduce los sistemas nuevos, como el adobe mejorado, en el programa de capacitación. Este manual debe ser usado como referencia y ser discutido con los participantes durante la etapa de construcción.
- Se deben conducir reuniones informativas amplias involucrando a todos los participantes del proyecto.

Retos del Adobe Mejorado

Hay varios desafíos asociados con el uso generalizado del adobe mejorado en El Salvador. Algunos están relacionados específicamente con el adobe mejorado, algunos son específicos de los aspectos sociales, culturales e institucionales de El Salvador y otros se pueden considerar a un nivel internacional. Algunos desafíos claves para el adobe mejorado en El Salvador incluyen:

- Falta de confianza en el adobe como un material de construcción adecuado para áreas de alta sismicidad. Esta actitud ha sido difundida debido al mal comportamiento que han tenido en general las edificaciones de adobe tradicional durante los terremotos del 2001.

- Falta de promoción generalizada y apoyo al adobe mejorado. Esto puede atribuirse a un número de factores, que incluyen la limitación en los recursos institucionales, las actitudes tradicionales y el hecho de ser una población objetivo grande y dispersa. Bommer et al. (2002) hicieron notar claramente la necesidad de transferir el conocimiento relacionado con la construcción mejorada de adobe "hacia las comunidades rurales más aisladas y vulnerables, donde estas formas (tradicionales) de vivienda son más abundantes y también donde éstas son construidas con los mayores niveles de vulnerabilidad."

- Falta de experiencia y habilidad en el diseño y la construcción sismorresistente. La construcción mejorada de adobe no es un proceso simple; se requiere algún nivel de experiencia y capacidad para construir una estructura mejorada.

- Resistencia al cambio. Frecuentemente las nuevas iniciativas son vistas con desconfianza, particularmente si no hay ejemplos tangibles y prácticos disponibles.

- Falta de recursos individuales y familiares. Los recursos limitados restringen el desarrollo de habilidades y el uso de mejores materiales y técnicas. Los sistemas actuales de adobe mejorado pueden resultar moderada o significativamente más costosos que la construcción tradicional y generalmente se da prioridad a los requerimientos básicos para la vida diaria, tales como alimento, agua y vestido.

Figura 29
Guardería en uso, proyecto Expedición El Salvador (Dr. Steve Oates, Shell International).

- Competencia con otros materiales y formas constructivas que se perciben como modernas y superiores. Frecuentemente el adobe se percibe como un indicador de pobreza, en tanto los materiales modernos simbolizan progreso y prosperidad. Esta percepción ha sido reforzada por compañías de ingeniería y productores de cemento que han desalentado las prácticas constructivas tradicionales para promover sus propios intereses.

- Mayores niveles de dependencia en ayuda externa. La existencia habitual de proyectos de vivienda apoyados por agencias en los que los beneficiarios reciben una casa nueva, puede aumentar la expectativa hacia la asistencia de apoyo total. Esto significa que los programas que centran su atención en desarrollar capacidades y en la promoción de construcción local basada en la comunidad pueden enfrentar bajos niveles de interés y apoyo. En el periodo posterior a los terremotos, había mucha discusión acerca de las grandes cantidades de fondos para ayuda que eran donados para la reconstrucción post terremoto de El Salvador. El efecto de estos rumores fue incrementar las expectativas de las familias afectadas por los terremotos, en el sentido que habría suficiente apoyo para asistir a todos aquellos con necesidad. Muchas de esas familias aun siguen esperando.

- Varias fuentes Salvadoreñas sugirieron que un enfoque de olvido fácil y una actitud de desinterés (*valeverguismo*), predominantes en la cultura Salvadoreña, restringen la capacidad de mejorar la situación actual de la vivienda y limitan la oportunidad para una mejora sostenible de la calidad de vida.

- 'Poca memoria' en relación al impacto de los desastres naturales. Algunos observadores han comentado que a pesar de la larga historia de desastres naturales, muchos habitantes de El Salvador e instituciones han dejado de tomar acciones apropiadas para reducir la vulnerabilidad y estar preparados para eventos futuros. (Wisner 2001; UNDP 2001; Bommer et al. 2002; observadores locales 2002).

- Incertidumbre relacionada con la consistencia y competencia institucional (UNDP 2001). Esta incertidumbre puede reducir la efectividad de los programas a largo plazo de mitigación de riesgo y preparación ante desastres, y el compromiso hacia estos programas. La incertidumbre ha sido un aspecto sustentado en el pasado de El Salvador a nivel de comunidad local, pues la población general ha estado expuesta a la acción y políticas de aquellos con recursos e influencia.

- La incertidumbre relacionada con algunos aspectos de la construcción de adobe mejorado. Tales incertidumbres y un conjunto de opiniones variadas pueden disminuir la credibilidad del adobe mejorado ante la perspectiva de los donantes, instituciones y beneficiarios potenciales.

- Falta de conciencia acerca de la importancia del mantenimiento. El adobe es un material que se deteriora naturalmente y por ello requiere mantenimiento periódico para preservar su integridad estructural. Muchas de las casas afectadas fueron edificaciones antiguas y mal conservadas que tenían significativamente reducida su capacidad de resistencia sísmica.

En cada uno de estos casos, no existe una solución única sino que se requiere una combinación de promoción, capacitación y de iniciativas sociales y técnicas. Varias oportunidades y recomendaciones para compensar estos desafíos se discuten en la siguiente sección.

Oportunidades para el Adobe Mejorado

Para resolver los múltiples desafíos asociados con el uso generalizado de adobe mejorado en El Salvador se requiere una combinación de soluciones. Estas soluciones incluyen actividades de promoción y capacitación así como la provisión de tiempo adecuado y de recursos financieros y humanos.

Promoción

Primero se debe demostrar la existencia y efectividad de los sistemas de adobe mejorado a los usuarios y promotores potenciales, para incrementar su conocimiento e interés en las iniciativas propuestas. Esta promoción equivale a vender la idea a los actores clave. El tipo de promoción debería estar diseñada específicamente, teniendo en cuenta los intereses, necesidades y capacidades del grupo objetivo. Para lograr este objetivo, la formulación de iniciativas de promoción debería involucrar a representantes de todos los grupos interesados. En cada caso, la promoción debería incluir una discusión detallada de los costos y beneficios de cualquier sistema nuevo.

En las actividades de promoción comunal, las presentaciones visuales tienden a ser más efectivas. Se recomienda que la promoción incluya ejemplos del mejor comportamiento de las casas de adobe mejorado sometidas a fuerzas sísmicas. Esta promoción también puede incluir una visita al campo para ver ejemplos cercanos de viviendas de adobe mejorado, teniendo así un contacto físico que incrementará la comprensión del nuevo sistema. Los principios generales del diseño y construcción sismorresistente también se pueden demostrar usando modelos simples hechos de cartón o madera.

Una estrategia de promoción empleada por una ONG Salvadoreña pro adobe involucró una exhibición de casas de adobe bien construidas, modernas y sofisticadas de áreas acomodadas de USA y otros países, que sirvieron para disipar la noción que el adobe significa pobreza y privación. En el caso de actividades de promoción comunal, se requiere personal promotor entendido y motivado para recomendar la idea a las comunidades que pueden ser reacias a emplear adobe y que desconfíen de las nuevas iniciativas. La promoción local también debería incluir discusiones acerca de la importancia y del adecuado proceso de mantenimiento.

Las actividades de promoción dirigidas a donantes, instituciones gubernamentales y organizaciones no gubernamentales deberían ser confeccionadas de acuerdo a la naturaleza específica de cada grupo. Estos grupos generalmente requerirán un enfoque más técnico y detallado de la promoción y un mayor énfasis en los impactos a corto y a largo plazo. También debería discutirse una estrategia de administración y de implementación de amplio espectro.

La promoción efectiva aumenta el interés, la conciencia y la aceptación del adobe mejorado. Estos factores son necesarios para obtener el apoyo local e institucional para realizar cualquier capacitación en el aprendizaje de técnicas, construcción comunal o actividades de investigación y desarrollo.

Capacitación

Se requiere de capacitación para mejorar las habilidades y experiencia de los artesanos locales y de los auto-constructores en el diseño, construcción y mantenimiento del adobe mejorado (**figura 30**). Los programas de capacitación deberían cubrir la teoría relevante y los aspectos prácticos de cada componente del proceso. Los programas de capacitación más efectivos incluyen el diseño y construcción de una edificación completa y como tal, requieren un periodo significativo de tiempo (más de tres meses). Este proceso requiere la dedicación total y el interés de todos los participantes, a pesar de que se debería hacer una provisión para que su participación no impacte adversamente sus otros compromisos y actividades. Al establecer un programa de capacitación se pueden considerar turnos rotativos en obra y/o el pago (en efectivo o en alimentos) por el trabajo. Otras prioridades consumen tiempo y energía y en muchos casos, la oportunidad de aprender y desarrollar habilidades en sí misma no da ímpetu suficiente para involucrarse activamente en un programa de capacitación. En estos casos, se pueden requerir otros incentivos tales como algún tipo de certificación, ayuda económica o perspectivas de trabajo futuro.

Figure 30 *Programa de capacitación en adobe, Proyecto Expedición El Salvador.*

Como es natural, la evaluación inicial del proyecto y de la comunidad debería incluir una valoración exhaustiva y una discusión acerca de las necesidades específicas, intereses y disponibilidad de los participantes. Cualquier programa de capacitación debería ser diseñado de acuerdo con estos aspectos comunales claves. Se recomienda que, junto con el programa de capacitación se elabore un cuaderno de ejercicios o un manual de construcción en el que se describa al detalle cada etapa del proceso de preparación y construcción.

La complejidad de las técnicas actuales de construcción con adobe mejorado implica que es poco probable que los pobladores locales, con poca o ninguna experiencia previa o habilidad en la construcción con adobe, se conviertan en constructores competentes luego de participar en un proyecto simple de capacitación. De hecho se espera que esas personas sean capaces de construir casas de cierta manera más seguras empleando algunas de las técnicas más simples aprendidas y que por lo menos habrá un aumento de conciencia acerca de la existencia de sistemas de adobe mejorado. Sin embargo, la aplicación exitosa de un amplio rango de sistemas mejorados requiere un mayor nivel de capacidad, experiencia, entrenamiento y competencia. En el periodo posterior a los terremotos en El Salvador, algunos observadores pidieron la formación de un curso o escuela acreditada en la capacitación de adobe mejorado. Esto parece razonable, teniendo en consideración el nivel de capacitación formal y desarrollo profesional alcanzado por los profesionales certificados, particularmente en países desarrollados, los que deben alcanzar un nivel reconocido de competencia antes de ejercer en su campo de trabajo. Se espera que tal certificación mejorará la perspectiva de empleo futuro para los constructores capacitados, tanto en la construcción a nivel comunal, como en proyectos de vivienda apoyados por agencias.

Nikolic-Brzev et al. (1999) observaron el valor de un programa de capacitación organizado y estructurado en la reconstrucción de Maharashtra, India, después del severo terremoto de 1993. El programa de reconstrucción, reparación y reforzamiento llevado a cabo en Maharashtra involucró a un equipo de ingenieros jóvenes en la transferencia efectiva de conocimiento de los consultores sísmicos nacionales hacia los artesanos locales. El programa incluyó la preparación de un plan y un manual detallado de reconstrucción, una serie de sesiones de capacitación y la construcción de edificaciones modelo. Un aspecto clave del programa fue la gran participación de los beneficiarios en todos los aspectos de la reconstrucción. Una estrategia de capacitación similar sería útil en la reconstrucción de El Salvador.

Recursos

Recursos adecuados de tiempo, dinero y personal capacitado son esenciales para desarrollar, financiar y mantener actividades de promoción, capacitación e investigación.

Tiempo

Los múltiples desafíos que enfrenta el adobe mejorado implican que se requiere un periodo de tiempo significativo para que el adobe mejorado sea empleado extensivamente en El Salvador. Este largo proceso significa que se requiere una estrategia a largo plazo con asignación de recursos a futuro.

Las lecciones aprendidas y la experiencia ganada durante las actividades con adobe mejorado post terremoto en El Salvador significan que futuros proyectos de construcción con adobe mejorado serán más eficientes debido a:

- la experiencia adquirida, que permitirá elaborar y seguir cronogramas más precisos y planes administrativos más adecuados.
- la existencia de una red expandida de diseñadores, promotores, proveedores, constructores y administradores, con experiencia y habilidad en la implementación de actividades de adobe mejorado; y
- un entendimiento mayor de los desafíos, limitaciones y oportunidades para el adobe mejorado.

Recursos Económicos

Los recursos financieros se pueden considerar en dos grandes categorías: recursos institucionales y recursos familiares. La primera categoría está relacionada con los recursos requeridos a nivel institucional para financiar las iniciativas de promoción y capacitación y para apoyar los proyectos de construcción e investigación. Estos recursos pueden provenir de agencias locales o internacionales y deben ser suficientes para cubrir adecuadamente las necesidades del proyecto, que incluyen personal, materiales, transporte, herramientas, equipo, material de promoción e imprevistos. La construcción con adobe es generalmente más económica que otras formas de construcción y este aspecto debería explotarse. En el contexto global, el financiamiento para proyectos de desarrollo es extremadamente competitivo, por lo tanto para ser una alternativa viable comparada con otros materiales y formas constructivas se requiere una promoción efectiva a la par que avances técnicos y una efectiva administración del proyecto.

La segunda categoría está relacionada con los recursos financieros de las familias que usarán las técnicas de adobe mejorado en la construcción de sus casas. Hay dos enfoques principales para reducir la carga financiera asociada a la construcción de la casa familiar. El primer enfoque se relaciona al desarrollo y difusión de las soluciones de bajo costo que están dentro de la capacidad económica de las familias pobres. El segundo enfoque es una reducción de la pobreza a gran escala, que formaría parte del la mejora en el desarrollo social y humano del país. Este segundo enfoque requiere desarrollo a largo plazo y depende de los esfuerzos permanentes del GOES y de las agencias de apoyo.

Recursos Humanos

Se requiere de personal capacitado para llevar a cabo la investigación, diseño, promoción, administración, provisión e implementación de los programas con adobe. Muchos aspectos de los proyectos de adobe mejorado son similares a otros programas de construcción y capacitación y requieren personal experimen-tado, incluyendo promotores sociales, capacitadores, diseñadores, coordinadores técnicos, administradores de proyecto, expertos en logística, etc. Otros aspectos requieren personal con experiencia especializada en adobe, que es frecuentemente limitada ya que la construcción con adobe mejorado es una iniciativa relativamente nueva en El Salvador. La formación de una escuela de capacitación en adobe mejorado, como se mencionó antes, potenciaría significativamente la capacidad de las organizaciones para asumir una variedad de iniciativas en adobe mejorado.

Investigación Futura

Para aumentar el uso del adobe mejorado es necesario hacer investigación y desarrollo en dos áreas principales: 1) los aspectos técnicos del comportamiento del adobe (mecanismos de respuesta, patrones de daño e interacción de sus componentes), y 2) los factores sociales asociados con el uso del adobe. Se requiere de desarrollo e investigación para mostrar evidencia que los sistemas mejorados son efectivos y que el adobe mejorado es un material de construcción válido en zonas sísmicas. Esta evidencia es necesaria para respaldar el perfil del adobe mejorado y para aumentar la confianza en su uso. La investigación debe incluir el desarrollo de sistemas adecuados a las habilidades actuales y futuras de los grupos beneficiarios, así como a su disponibilidad de recursos. Si los esfuerzos de investigación y desarrollo se unen a una promoción efectiva, se logrará el progreso a nivel local, nacional e internacional.

Estudios Técnicos

En todo el mundo se ha realizado investigación técnica significativa en adobe mejorado. Los principales centros de investigación y desarrollo en adobe incluyen la Pontificia Universidad Católica del Perú; UNAM y CENAPRED en México; Habitat Cuba; GTZ Alemania; CRATerre Francia; IIT en India; UCA y UES en El Salvador; la Universidad de California, Berkeley y la Universidad de Stanford en los EE.UU.; y la Universidad de Tecnología de Sydney, Australia. La investigación llevada a cabo en El Salvador tiene un valor considerable pues los materiales locales y las técnicas pueden ser evaluadas específicamente, pero la relativa falta de recursos y de laboratorios de ensayo, incluyendo un simulador de sismos, representan obstáculos significativos para continuar la investigación a lo largo del país en El Salvador. Entre las investigaciones más útiles están las siguientes:

- Análisis de daños sísmicos en el periodo inmediato a los eventos sísmicos reales. Este es el indicador más veraz acerca de la respuesta y comportamiento sísmico, pero es limitado debido a su naturaleza impredecible y variable. Se deben tomar en consideración las principales variables de los terremotos (contenido de frecuencias, duración e intensidad de aceleración, velocidad y desplazamiento), así como las características de las estructuras (dimensiones, materiales, edad, vanos, configuración y calidad de la construcción y mantenimiento).
- Ensayos estáticos, dinámicos y especializados de especimenes y modelos. Esta experimentación permite aislar elementos específicos y ensayarlos bajo condiciones controladas individualmente o como componentes (**figura 31**). La limitación principal es que las interacciones complejas entre componentes y las condiciones de borde son difíciles de simular y de evaluar.
- Modelos computarizados, simulación y análisis. El desarrollo de modelos de elementos finitos confiables para el adobe sería valioso. Un modelo confiable permitiría un mayor alcance a los ensayos, que han sido tradicionalmente limitados debido a su naturaleza destructiva. Es un reto desarrollar un modelo confiable y preciso para un estilo de material y de construcción variable e inconsistente, pero valdría la pena hacer el intento.

Dentro de estas áreas, la investigación específica podría centrarse en:

- Las características individuales de los bloques (composición del suelo, aditivos, propiedades mecánicas). Se han hecho investigaciones importantes en esta área y se han publicado varias recomendaciones para la mezcla más efectiva de suelo (RESESCO 1997, Reglamento Nacional de Perú 2000, Pérez 2001, Equipo Maíz 2001). Sin embargo, la información detallada acerca de las características individuales de los bloques tiene valor limitado para su aplicación, debido a la gran variabilidad de los suelos y a la tendencia natural de usar el suelo disponible localmente. Woodward (1996) y Norton (1986) sugirieron que la manera más efectiva para ensayar la conveniencia de un suelo es hacer varios bloques de prueba con diferentes proporciones de mezcla de suelo y curarlos en diferentes condiciones.

- Los componentes de la albañilería de adobe (interacción bloque-mortero y refuerzo-bloque, propiedades mecánicas). Esta investigación es importante para identificar y evaluar componentes claves, sin la influencia de una multitud de fuerzas e interacciones externas.
- Los sistemas de construcción integrales, que incluyen elementos adicionales (refuerzo, sobrecimiento, contrafuertes, viga collar) y diferentes configuraciones arquitectónicas (dimensiones, vanos, distribución). La investigación debería centrarse en las interacciones entre los componentes y en la calidad de los sistemas de mejora. Esto es sumamente importante para mejorar la resistencia sísmica global de las estructuras de adobe.
- La calidad de construcción y el mantenimiento. Esta investigación debería centrarse en métodos prácticos para mejorar la calidad de la construcción y el mantenimiento, incluyendo la reducción en la complejidad de las técnicas constructivas y el incremento de las habilidades y la conciencia de los artesanos locales y propietarios.
- Técnicas de reparación y recuperación. La aplicación de sistemas de reparación y recuperación es un área importante que requiere significativo apoyo adicional. En El Salvador post terremoto, no hubieron programas organizados de reparación o recuperación y las personas aplicaron varios sistemas *ad hoc* que tuvieron variados niveles de valor estructural.

Preguntas Específicas para la Investigación desde El Salvador en el 2002

En el 2002 en El Salvador hubieron algunas incertidumbres y dudas acerca de algunos aspectos relacionados con las prácticas constructivas actuales de adobe mejorado. Se recomienda que estos aspectos sean temas de investigación y desarrollo en el futuro.

- ¿Cuál es la reacción química entre el bambú/*vara de Castilla* y el concreto (como puede ocurrir en los niveles de la cimentación y del sobrecimiento, **figura** 32)?
- ¿Cuál es la vida útil esperada de la *vara de Castilla* o bambú? En El Salvador se sugiere que es desde 20 años hasta más de 100 años (si se mantiene seca) (**figura** 32).
- ¿Cuáles son las ventajas y desventajas de usar una lámina plástica como membrana aislante de humedad? Algunos observadores han sugerido que esta membrana de baja fricción puede reducir la resistencia al corte y al volteo. Otros observadores

Figura 31
Ensayo de simulación sísmica de especimenes de adobe, Universidad de Tecnología, Sydney, Australia.

Figura 32 *Sobrecimiento, refuerzo de bambú, contrafuertes de esquina, proyecto Expedición El Salvador.*

indican que esto tendrá un efecto insignificante debido a la gran masa del muro. También se ha observado que la presencia del refuerzo vertical provee un sistema efectivo de espigas que limita la respuesta al corte y volteo.

- ¿Cómo se pueden producir los bloques más rápida y eficientemente?
- ¿Cuáles son las implicancias a largo plazo de colocar paja en el barro del adobe? Algunos observadores sugieren que no tiene ningún efecto perjudicial a largo plazo, en tanto otros han indicado que con el tiempo la paja sufrirá deterioro, dejando vacíos y permitiendo el ingreso de humedad, reduciendo así la integridad estructural de los bloques.
- ¿Cuál es el tamaño necesario para que los contrafuertes aporten suficiente restricción? ¿Son necesarios los contrafuertes en las esquinas?
- ¿Cuáles son las ventajas y desventajas estructurales de tener estructuras de muros independientes de las estructuras del techo? Sin un diafragma completo, los muros son más vulnerables al colapso (hacia adentro o hacia fuera). El IAEE (1986) sugiere que una habitación de muros con techo rígido restringirá la flexión perpendicular del muro transversal mejor que una habitación de muros sin techo. Algunos observadores sugirieron que la viga collar, el mayor espesor del muro y los contrafuertes compensarían adecuadamente la falta de diafragma de techo. Sin embargo, alguna forma de refuerzo diagonal entre los muros ortogonales, proveerá beneficios significativos con un mínimo de recursos adicionales.
- ¿Cuáles son los factores estructurales y prácticos relacionados con la conexión adecuada de los elementos constructivos adicionales durante las ampliaciones futuras?
- ¿Cuáles son las ventajas y desventajas de construir en comunidades existentes versus la creación de una nueva comunidad?
- ¿Cuáles son los costos reales de la construcción con adobe? Ha sido difícil obtener costos precisos debido a las variaciones en los proyectos y a la naturaleza relativamente nueva de los proyectos de vivienda de adobe mejorado. La información de costos precisos es esencial para mejorar la eficiencia y planificación de proyectos futuros.

Estudios Longitudinales

Sería muy valioso llevar a cabo otra evaluación en El Salvador dentro de algunos años. Esta investigación futura evaluaría la implementación de las técnicas de adobe mejorado durante los programas de capacitación y construcción en el período posterior a los terremotos del 2001. Las siguientes preguntas serían de interés particular:

- ¿Qué sistemas se han adoptado exitosamente como práctica constructiva común? ¿Porqué?
- ¿Qué sistemas han sido rechazados? ¿Porqué?
- ¿Cuál es la condición de las casas construidas después de los terremotos (incluyendo adobe, bloque de concreto, materiales alternativos, etc.)?

- ¿Qué cambios han ocurrido en el déficit de vivienda? ¿Cuándo? ¿Cómo?
- ¿Qué cambios han ocurrido en todo El Salvador en las proporciones de los distintos materiales para la construcción de viviendas? ¿Porqué?

Otra investigación futura podría comparar las actividades y procesos de reconstrucción en El Salvador con aquellas de Bhuj, India, ya que ambos experimentaron terremotos severos a principios del 2001 que causaron el mayor daño a las edificaciones no ingenieriles. Algunas de la diferencias y semejanzas culturales e institucionales enseñarían lecciones interesantes acerca de la reconstrucción por sismo.

Estudios Post Terremoto

En la eventualidad que un terremoto severo futuro ocurriese en El Salvador o en otro país donde se use mucho el adobe, sería muy valioso considerar los siguientes aspectos durante el periodo inmediatamente después del evento:

- Revisión profunda del comportamiento de las estructuras de adobe mejorado en comparación con el adobe tradicional, bloque de concreto, mixto y otros materiales de construcción.
- Recopilación de una base de datos detallada acerca de las características de las edificaciones (edad, ubicación, orientación, configuración, especificaciones técnicas, mantenimiento realizado), y la respuesta estructural (patrones de agrietamiento, modos de falla). Esto debería realizarse tanto para edificaciones afectadas como para las no afectadas y debería incluir fotografías de elementos específicos. Esta información permitiría una mayor comprensión de los mecanismos de falla (en el plano, fuera del plano y respuesta a ángulo oblicuo de los componentes y conexiones) y del papel que tuvieron los diferentes sistemas y aspectos en el comportamiento sísmico.
- Evaluación de las actitudes y expectativas de los actores clave (residentes afectados, instituciones gubernamentales y no gubernamentales) acerca del proceso de reconstrucción. Una comprensión más profunda de estas actitudes y expectativas sería útil en la planificación de futuras iniciativas de reconstrucción.

Conclusión

Los terremotos de El Salvador de inicios del 2001 demostraron claramente la vulnerabilidad de las viviendas típicas ante la fuerza de los terremotos. El mal comportamiento de las casas convencionales de adobe (la principal forma de vivienda tradicional de bajo costo usada en El Salvador) ha exacerbado la desconfianza generalizada hacia el adobe como material de construcción. En general, hay una falta de conciencia y de uso de sistemas simples que se pueden incorporar al diseño y construcción de una casa de adobe para mejorar su resistencia sísmica. La reconstrucción post terremoto ha sido una oportunidad única para difundir esta importante información. A pesar del nivel sin precedentes de construcción de viviendas modernas en El Salvador desde los terremotos, las necesidades de vivienda todavía exceden en mucho la oferta. El adobe mejorado es una solución viable y sostenible a este severo déficit de vivienda a nivel nacional.

Varias organizaciones han reconocido el valor del adobe mejorado en la reconstrucción y han implementado actividades novedosas de promoción y capacitación para ayudar a la aceptación y aplicación de las técnicas constructivas de adobe mejorado. El gran interés en estas iniciativas indica su importancia. Sin embargo, se necesita más acción. Muchas familias afectadas continúan viviendo en alojamientos temporales porque les falta la información, el interés, la capacidad o los recursos para construir una casa permanente. Muchas personas no reúnen los requisitos para recibir ayuda en la reconstrucción de sus casas, en tanto otras se están convirtiendo en dependientes del apoyo externo y están perdiendo la confianza en las formas de vivienda tradicional.

Las propiedades estructurales del adobe (material frágil, de baja resistencia) hacen que aun una casa bien construida de adobe mejorado muy probablemente sufrirá daños importantes durante un terremoto severo. Sin embargo, el adobe continuará siendo el material elegido por un gran número de familias pobres en países en desarrollo, que no pueden acceder a otras alternativas. Muchas de las experiencias y lecciones aprendidas a través del proceso de promoción, capacitación y construcción con adobe mejorado en El Salvador son aplicables a otros países en desarrollo. Se prevé que este aumento de actividades y de comprensión contribuirá a la reducción de la vulnerabilidad de la vivienda de adobe ante el daño producido por los terremotos.

Figura 33 *Casa modelo de adobe mejorado, proyecto FUNDASAL.*

Referencias

Atlas Logistique, 2002. *Las bases para construir una casa de adobe segura: Manual de capacitación,* Atlas Logistique, El Salvador, 28 pp.

Bommer, J.J. et al., 2002. The El Salvador earthquakes of January and February 2001: context, characteristics and implications for seismic risk, *Soil Dynamics and Earthquake Engineering* 22 (2002) 389-418.

CIA, 2002. The World Factbook *2002* online at: http://www.cia.gov/cia/publications/factbook/geos/es.html (25/02/03)

DIGESTYC, Dirección General de Estadísticas y Censos, 2001. *Censo de viviendas afectadas por la actividad sísmica del año 2001*, Ministerio de Economía, El Salvador.

DIGESTYC, Dirección General de Estadísticas y Censos, 1999. *Encuesta de hogares de propósitos múltiples,* Ministerio de Economía, El Salvador.

ECHO, European Commission Humanitarian Aid Office, 2002a. *ECHO request for the submission of humanitarian assistance project proposals* ECHO 3/HRJ/nf D(2002)2524 Brussels 06.03.2002, 7 pp.

ECHO, European Commission Humanitarian Aid Office, 2002b. online at: http://europa.eu.int/comm/echo/en/whatsnew/volcano.htm (Brussels 30.04.2002)

El Diario de Hoy, 2001. Actualidad: Hacia un adobe seguro (18 de marzo de 2001) San Salvador, p.3-7.

Equipo Maíz, 2001. *La casa de adobe sismorresistente* Asociación Equipo Maíz, El Salvador, 91 pp.

FUNDASAL, 1999. *Materiales y sistemas alternativos de construcción – la experiencia de FUNDASAL,* FUNDASAL El Salvador, 71 pp.

Hays, A., 2001. *Geo-arquitectura en El Salvador: Efectos de los Terremotos del 2001 en el Patrimonio Arquitectónico Tradicional Salvadoreño y Perspectivas de Restauración y Reconstrucción con Geomateriales,* GEOdomus Internacional, 170 pp.

IAEE, International Association for Earthquake Engineering, 1986. *Guidelines for Earthquake Resistant Non-Engineered Construction*, IAEE, Tokyo, 158 pp.

INSAFORP, 2001. Alternativas para la construccion de una vivienda rural de adobe resistente a los sismos, seminar, INSAFORP, El Salvador.

La Prensa Grafica, 2001. Dominical: El adobe de ayer y mañana (4 de marzo de 2001), San Salvador, pp.2b-5b

La Prensa Grafica, 2002. Un año después de los terremotos (13 de enero de 2002), San Salvador, pp.1 - 28

Moreira, R.A., Rosales, J.A., 1998. *Diseño, Construcción y Control de Calidad de Estructuras de Adobe para Vivienda Rural* (Graduation Thesis) Universidad Centroamericana "Jose Simeón Cañas", El Salvador, 369 pp.

NEIC, National Earthquake Information Centre, 2001. on line at: http://neic.usgs.gov/neis (accessed 22/10/01)

Nikolic-Brzev, S., Greene, M., Krimgold, F., Seeber, L., 1999. *Lessons Learned Over Time: Innovative Earthquake Recovery in India,* Learning from Earthquakes Series, Volume II, Earthquake Engineering Research Institute, California, 95 pp.

Norton, J., 1986. *Building With Earth: A Handbook,* Intermediate Technology Development Group Limited, U.K., 68 pp.

Peréz, A.H., 2001. *Manual Técnica para la Producción y Construcción con Adobe Natural*, Habitat-Cuba, 74 pp.

PUCP, Pontificia Universidad Católica del Perú, 2000. *Ingeniería en la PUCP* 2000: 3: pp. 14.

RESESCO, Reglamento Para la Seguridad Estructural de las Construcciones, 1997. *Folleto Complementario: Lineamiento para Construcción en Adobe,* ASIA, San Salvador, 36 pp.

Reglamento Nacional de Construcciones, 2000. *Norma Técnica de edificación con adobe natural NTE.* 080 adobe, Ministerio de Transportes, Comunicaciones, Viviendas y Construcción, Lima, Peru, 35 pp.

Rhyner, K., 2003. Two decades after the earthquake – Experiences to learn from a reconstruction in Adobe in Baja Verapaz, Guatemala ECOSUR, online at www.ecosur.org/eng/desastres/ guatemala_earthquake.php (accessed on 21-2-03)

UNDP, 2001. *The Report on Human Development, El Salvador IDHES 2001* UNDP.

UNDP, 2002. Caracteristics de los Hogares, 1992–1999, online at www.desarrollohumano.org.sv/ 209.html (accessed on 4/7/02).

USAID, 2002a. USAID El Salvador, online at http:// www.usaid.gov/sv/ (accessed on 4/12/02).

USAID, 2002b. El Salvador: The USAID Program, online at www.usaid.gov/country/lac/sv/#tup (accessed on 3/7/02).

USAID, 2002c. Request for Applications (RFA) No. El Sal 519-02-A-003. *Fixed Obligation Cooperative Agreements for Permanent Housing Program,* El Sal 519-02-A-03, February 25, 2002, 28 pp.

USAID, 2002d. Modification No. 1 to RFA El Sal 519-02-A-003: Questions and Answers, USAID/El Salvador, March 2002.

VMVDU, Vice-Ministerio de Viviendas y Desarrollo Urbano, 1999. *Política Salvadoreña de Vivienda,* Gobierno de El Salvador

VMVDU, Vice-Ministerio de Viviendas y Desarrollo Urbano, 2001. Riesgo Sismico: Reconstrucción Habitacional - La Experiencia Salvadoreña, Presentation at CENAPRED Mexico, November 2001, Gobierno de El Salvador

Wisner, B., 2001. Risk and the Neoliberal State: Why Post-Mitch Lessons Didn't Reduce El Salvador's Earthquake Losses, *Disasters* 2001; 25(3):251-68.

Woodward, B., 1996. *Mudbrick Notes (2nd Edition),* Earthways, Australia, 48 pp.

Apéndices

Apéndice A: Lista de Acrónimos

ASDI	Asociación Salvadoreña de Desarrollo Integral [ONG]
ASIA	Asociación Salvadoreña de Ingenieros y Arquitectos
CAFOD UK	Catholic Agency for Overseas Development, UK [NGO] / Agencia Católica para el Desarrollo en el Extranjero [ONG]
COEN	Comité de Emergencia Nacional [GOES]
COMURES	Corporación de Municipalidades de la República de El Salvador
CONCULTURA	Consejo Nacional para la Cultura y el Arte
DIGESTYC	Dirección General de Estadísticas y Censos [GOES]
DPC	Damp proof course / Membrana aislante de humedad
ECHO	European Commission Humanitarian Aid Office / Oficina de la Comisión Europea de Ayuda Humanitaria
ECLA/CEPAL	Economic Commission for Latin America and the Caribbean / Económica para América Latina y el Caribe [UN]
EERI	Earthquake Engineering Research Institute (USA) / Instituto de Investigación de Ingeniería Sísmica (EE.UU.)
FONAVIPO	Fondo Nacional de Vivienda Popular [GOES]
FUNDASAL	Fundación Salvadoreña de Desarrollo
GDP	Gross domestic product / Producto bruto interno
GOES	Gobierno de El Salvador
IAEE	International Association for Earthquake Engineering / Asociación Internacional de Ingeniería Sísmica
INSAFORP	Instituto Salvadoreño de Formación Profesional
ISDEM	Instituto Salvadoreño de Desarrollo Municipal
NEIC	National Earthquake Information Center (USA) / Centro Nacional de Información Sísmica (EE.UU.)
NGO/ONG	Non–governmental organization / Organización no gubernamental
NSF	National Science Foundation (USA) / Fundación Nacional de Ciencia (EE.UU.)
p.a.	por año
PUCP	Pontificia Universidad Católica del Perú
PVO	Private voluntary organization / Organización voluntaria privada

REDES	Fundación Salvadoreña para la Reconstrucción y el Desarrollo
RESESCO	Reglamento Para la Seguridad Estructural de las Construcciones
RFA	Request for applications [USAID] / Llamado para solicitudes
UCA	Universidad Centroamericana "José Simeón Cañas"
UES	Universidad de El Salvador
UN	United Nations / Naciones Unidas
UNDP	United Nations Development Program / Programa de las Naciones Unidas para el Desarrollo
UNES	Unidad Ecológica Salvadoreña [ONG]
USAID	United States Agency for International Development / Agencia de Estados Unidos para el Desarrollo Internacional
UTS	University of Technology, Sydney, Australia / Universidad de Tecnología, Sydney, Australia
VMVDU	Vice Ministerio de Vivienda y Desarrollo Urbano [GOES]
WFP/PMA	World Food Program / Programa Mundial de Alimentos [UN]

Apéndice B: Manual de Adobe del Equipo Maíz: Especificaciones de Diseño y Construcción

Tipo de vivienda	Casa de Adobe Sismorresistente (**figura 20**).
Cronograma	No se dieron detalles.
Colaboración	Familiares, amigos, vecinos.
Costos	No se dieron destalles.
Supervisión	No se dieron detalles.
Mano de Obra	Informal: autoconstrucción, familiares, amigos, vecinos.
Beneficiarios	Residentes locales, construyendo en su terreno propio.
Capacitación Inicial	No se dieron detalles.
Dimensiones	No se dieron detalles, se muestran dos habitaciones en los dibujos.
Área techada	No se dieron detalles.
Cimientos	60 cm de ancho, 40 cm de profundidad, piedra áspera y mortero arena-cemento 6:1, sin refuerzo.
Sobrecimiento	30 cm de ancho, 40 cm de alto, piedra áspera y mortero arena-cemento 6:1, sin refuerzo.
Membrana aislante de humedad	Lámina de plástico entre el sobrecimiento y el muro de adobe.
Tierra para adobe	40% arena, 40% tierra blanca, 20% arcilla. Se deja remojar durante 24 horas y luego se mezcla manualmente. Algunos bloques de cemento estabilizado se recomiendan para las esquinas, usando una mezcla en proporción de "1 bolsa de cemento por 12 carretillas de suelo".
Bloques	Tamaño entero: 30 x 30 x 10 cm. Mitad: 30 x 14 x 10 cm. El molde incluye vacíos para el refuerzo.
Juntas de mortero	Aproximadamente de 2 cm.
Refuerzo Vertical	Vara de Castilla (caña local/bambú) colocada cada 64 cm, desde el sobrecimiento hasta la viga collar.
Refuerzo Horizontal	Vara de Castilla partida o alambre de púas, cada cuatro hiladas.
Muros	Muros portantes de 30 cm de espesor.
Contrafuertes	De 16 cm, en las esquinas y en muros intermedios.
Dinteles	Bloques estabilizados ("1 bolsa de cemento por 12 carretillas de suelo") moldeados con ranura, con dos varillas de acero de 3/8" y rellenos de concreto.
Viga collar	Bloques estabilizados moldeados con ranura, con dos varillas de acero de refuerzo de 3/8" y estribos de 1/4".
Conexión viga collar-muro	Refuerzo de viga collar amarrado al refuerzo vertical y varillas de acero de 1/4" enganchadas en los dinteles.
Conexión techo-viga collar	No se dieron detalles.
Estructura del techo	Se sugiere techo liviano. No se dieron detalles.
Cubierta del techo	Se sugiere techo liviano, se recomiendan tejas de micro-cemento.
Tímpanos	De adobe, pero no se dieron detalles de conexión o construcción.
Recubrimiento de muro	Una capa de mezcla del barro para adobe, seguida de una capa de enlucido de cal.
Piso	No se dieron detalles.
Provisión para ampliación	No se dieron detalles.
Otra infraestructura	No se dieron detalles.

Apéndice C: Proyectos de Adobe Mejorado en El Salvador; Especificaciones de Diseño y Construcción

ASDI – Trocaire: Loma Alta, Usulután

Fecha de la visita	19 de Abril del 2002.
Ubicación	Loma Alta, Berlin, Usulután.
Cantidad	40 casas.
Tipo de vivienda	Vivienda Alternativa de Adobe Sismo Resistente.
Cronograma	Agosto 2001 – fines de Mayo del 2002.
Colaboración	Financiamiento de Trocaire, Irlanda, coordinación del proyecto por ASDI.
Costos	US $ 3,305/casa (incluye materiales, herramientas, mano de obra, supervisión, etc.)
Supervisión	1 capataz, 2 asistentes. Visita de Ingeniero dos veces por semana.
Mano de Obra	Grupos de trabajo de los beneficiarios. Los bloques se compraron externamente.
Beneficiarios	Residentes locales, construyendo en su terreno propio o en terreno proporcionado por la Municipalidad.
Capacitación Inicial	Taller de discusión.
Dimensiones	Área interna: dos habitaciones de 3.23 m x 4.18 m cada una, más patio techado de 3 m x 7 m aproximadamente.
Área techada	Interna: 27 m^2. Total: 72 m^2 (estimada).
Cimientos	50 cm de ancho, 50 cm de profundidad, piedras y mortero arena-cemento, sin refuerzo.
Sobrecimiento	32 cm de ancho, 15 cm de alto, piedras y mortero arena-cemento, sin refuerzo (**figura 21**).
Membrana aislante de humedad	Ninguna.
Tierra para adobe	Bloques fabricados fuera de obra empleando 70% tierra amarilla, 30% suelo, tamizado. Se añadió paja.
Bloques	Tamaño entero: 30 x 30 x 10 cm. Mitad: 30 x 14 x 10 cm. El molde incluye vacíos para el refuerzo.
Juntas de mortero	Aproximadamente de 2 cm.
Refuerzo Vertical	Vara de Castilla (caña local/bambú) colocada cada 64 u 80 cm, desde el cimiento hasta la viga collar (**figura 21**).
Refuerzo Horizontal	Viga collar a media altura del muro empleando bloques ranurados de adobe, dos varillas de acero de 3/8" y relleno con mortero arena-cemento.
Muros	Muros portantes de 30 cm de espesor.
Contrafuertes	De 16 cm en las esquinas y en la divisiones de habitaciones.
Dinteles	Dinteles de concreto armado, construidos empleando encofrado.
Viga collar	Viga collar horizontal de concreto armado, con tres varillas de acero de refuerzo de 3/8", estribos de 1/4" cada 25 cm, construida empleando encofrado.
Conexión viga collar-muro	Refuerzo de viga collar amarrado al refuerzo vertical (resistiendo el movimiento horizontal de corte).
Conexión techo-viga collar	Estructura del techo soldada a refuerzo de la viga collar, doblado hacia arriba en los contrafuertes.
Estructura del techo	Marco de acero de sección 'C'. Techo a cuatro aguas.
Cubierta del techo	Lámina de calamina de acero.

Tímpanos	Ninguno (debido al techo a cuatro aguas).
Recubrimiento de muro	Enlucido de cal-arena-cemento.
Piso	Capa de concreto.
Provisión para ampliación	No.
Otra infraestructura	Construida en una comunidad existente. La comunidad carece de instalación de agua.

Asociación Bálsamo – Trocaire: El Tular, Sonsonate

Fecha de la visita	Reunión, 22 de Abril del 2002.
Ubicación	El Tular, Cuisnahuat, Sonsonate
Cantidad	40 casas.
Tipo de vivienda	Vivienda con Adobe Sismorresistente.
Cronograma	Noviembre 2001 – Agosto 2002.
Colaboración	Financiamiento de Trocaire, Irlanda, coordinación del proyecto por la Asociación Bálsamo.
Costos	Presupuesto interno estimado: US $ 2,615 / casa (incluye materiales, herramientas, mano de obra, supervisión, etc.)
Supervisión	3 capataces, visita de Ingeniero dos veces por semana.
Mano de Obra	Cinco grupos de trabajo de los beneficiarios (8 personas / casas por grupo).
Beneficiarios	Residentes locales, construyendo en su terreno propio.
Capacitación Inicial	Taller de discusión y construcción de una vivienda modelo con patio techado.
Dimensiones	Área interna: dos habitaciones: una grande de 6.74 m x 2.9 m y una pequeña de 3.54 m x 2.9 m, más patio techado de 3.84 m x 3.84 m.
Área techada	Interna: 30 m^2. Total: 65 m^2 (estimada).
Cimientos	45 cm de ancho, 50 cm de profundidad, piedras y mortero arena-cemento. Sin refuerzo.
Sobrecimiento	30 cm de ancho, 25 cm de alto, piedras y mortero arena-cemento. Sin refuerzo. Mezcla de suelo-cemento (8:1 ó 6:1) usada como mortero entre el sobrecimiento y la primera hilada de bloques de adobe.
Membrana aislante de humedad	Ninguna.
Tierra para adobe	?
Bloques	Tamaño entero: 30 x 30 x 10 cm. Mitad: 30 x 14 x 10 cm.
Juntas de mortero	Aproximadamente de 2 cm.
Refuerzo Vertical	Bambú colocado a espaciamientos de 48, 64 u 80 cm, desde el sobrecimiento hasta la viga collar.
Refuerzo Horizontal	Bambú partido, colocado cada cuatro hiladas y amarrado al refuerzo vertical.
Muros	Muros portantes de 30 cm de espesor.
Contrafuertes	De 16 cm, en las esquinas y en ubicaciones intermedias.
Dinteles	Dinteles de concreto armado, construidos empleando encofrado.
Viga collar	Bloques moldeados rasurados de suelo-cemento con dos varillas de acero de refuerzo de 3/8" y con estribos de 1/4".
Conexión viga collar-muro	Refuerzo de la viga collar amarrado al refuerzo vertical (resistiendo el movimiento horizontal de corte).

Conexión techo-viga collar	Estructura de techo soldada a conectores de acero fijados al refuerzo de la viga collar.
Estructura del techo	Marco de acero de sección 'C'. Techo a dos aguas.
Cubierta del techo	Lámina de fibrocemento Duralite.
Tímpanos	Bambú y malla soldada.
Recubrimiento de muro	Enlucido de cal-suelo-arena.
Piso	Capa de concreto.
Provisión para ampliación	No.
Otra infraestructura	Construida en una comunidad existente.

Atlas Logistique: 19 de Junio, San Vicente

Fecha de la visita	19 de Marzo del 2002.
Ubicación	19 de Junio, San Vicente. También involucrada en otros proyectos de adobe en El Salvador.
Cantidad	37 casas (**figura 19**).
Tipo de vivienda	Casa de Adobe Segura.
Cronograma	Diciembre 2001 – Abril 2002 (esperado).
Colaboración	Atlas financió la construcción. Otra organización compró el terreno.
Costos	Se reportó US $ 387.13 / casa (sólo materiales, no incluye transporte ni supervisión).
Supervisión	0.5 ingeniero, 1 capataz, 7-8 constructores, varios aprendices de constructor.
Mano de Obra	Mano de obra de los beneficiarios, grupos de trabajo de 7.
Beneficiarios	Reubicados provenientes de áreas afectadas.
Capacitación Inicial	Taller de discusión.
Dimensiones	Área interna: 6.3 m x 4 m, una habitación, más patio techado de aproximadamente 7 m x 2 m.
Área techada	Interna: 25 m². Total: 64 m² (estimada).
Cimientos	60 cm de ancho, 30 cm de profundidad, con piedras, mortero arena-cemento y dos varillas horizontales de bambú.
Sobrecimiento	40 cm de ancho, 30 cm de alto, piedras y mortero arena-cemento.
Membrana aislante de humedad	Ninguna.
Tierra para adobe	Suelo local, aproximadamente 40% arena, 40% sedimento, 20% arcilla.
Bloques	Tamaño entero: 40 x 38 x 13 cm. Mitad: 40 x 18 x 13 cm. Secados al sol o a la sombra dependiendo del contenido de arcilla. Los vacíos para el refuerzo vertical se tallaron con machete.
Juntas de mortero	Verticales: dos dedos (2-3 cm). Horizontal: depende de los bloques (2-4 cm).
Refuerzo Vertical	Bambú seco (vara de Brasil) cada 60 cm, fijado al fondo de la cimentación y a la viga collar. Se extiende por encima del muro.
Refuerzo Horizontal	Bambú seco (vara de Brasil) partido por mitad formando configuración de escalera, colocado cada dos hiladas, amarrado al refuerzo vertical cuando es posible (**figura 22**).
Muros	Muros de 30 cm de espesor. No son portantes.

Contrafuertes	De 40 cm en las esquinas y a media longitud de muros, incluyen refuerzo vertical (figura 22).
Dinteles	Madera.
Viga collar	Bloques moldeados ranurados (de la misma mezcla de barro), con una o dos varillas de bambú amarradas al refuerzo vertical. El canal se rellena con mezcla de suelo-cemento 6:1 sin arcilla.
Conexión viga collar-muro	Refuerzo de la viga collar amarrado al refuerzo vertical (resistiendo el movimiento horizontal de corte).
Conexión techo-viga collar	Ninguna.
Estructura del techo	Dos aguas. Pórtico de madera soportado por 12 columnas de madera con cimentación de suelo-cemento de 50-60 cm de profundidad. Las columnas son separadas de los muros de adobe y están dentro de la edificación. La madera (pino) se importó de Nicaragua, debido a los temas de deforestación en El Salvador. La madera es tratada con aceite quemado usado, para disminuir el ataque de insectos. El pórtico de madera y el techo pueden construirse antes o después que se construyen los muros.
Cubierta del techo	Lámina de zinc-aluminio, alero considerable.
Tímpanos	Abiertos.
Recubrimiento de muro	Mezcla de cemento-cal-arena 1:2:6 aplicada a muros externos.
Piso	Capa de concreto, mezcla arena-cemento 3:1 o 4:1, sin refuerzo.
Provisión para ampliación	Ninguna.
Otra infraestructura	Comunidad nueva. Agua de un río cercano. Letrinas provistas por otra organización. La electricidad se conectará pronto. Se construirá un centro comunal. Carece de escuela.

FUNDASAL: Santiago Nonualco, La Paz

Fecha de la visita	18 de Abril del 2002.
Ubicación	Cantón Amulunco, Santiago Nonualco, La Paz. También involucrado en otros proyectos de adobe en El Salvador.
Cantidad	8 casas.
Tipo de vivienda	Vivienda de adobe con Sistema Sismo Resistente.
Cronograma	Principios Marzo 2001 – mediados 2002 (?).
Colaboración	-
Costos	Presupuesto estimado inicial US $ 853 por módulo básico (sólo materiales, no incluye acabados ni adecuaciones).
Supervisión	1 constructor, visitas periódicas de Ingeniero.
Mano de Obra	Grupos de trabajo de beneficiarios.
Beneficiarios	Pobladores locales, construyendo en terreno propio.
Capacitación Inicial	Construcción de casa modelo: 1 módulo de 3.22 m x 3.22 m, 1 habitación y patio techado.
Dimensiones	2 módulos (habitaciones): cada una de 3.22 m x 3.22 m, más patio techado (aproximadamente 8 m x 1.5 m).
Área techada	Interna: 21 m². Total: 55 m² (estimada).

Cimientos	45 cm de ancho, 40 cm de profundidad, con piedras y mortero arena-cemento, sin refuerzo.
Sobrecimiento	30 cm de ancho, 20 cm de alto, con piedras y mortero arena-cemento, refuerzo horizontal de bambú.
Tierra para adobe	3 partes de suelo local por 1 parte de suelo arcilloso cercano, con paja cortada y mezcla manual.
Membrana aislante de humedad	Ninguna.
Bloques	Tamaño entero: 30 x 30 x 10 cm. Mitad: 30 x 14 x 10 cm.
Juntas de mortero	Aproximadamente 2 cm.
Refuerzo Vertical	Vara de Castilla (caña local / bambú), cada 64 cm, fijada desde el sobrecimiento hasta la viga collar.
Refuerzo Horizontal	Vara de Castilla partida, cada dos hiladas.
Muros	Muros portantes de 30 cm de espesor.
Contrafuertes	De 30 cm, en las esquinas y las divisiones del módulo.
Dinteles	Viga collar a nivel de dintel.
Viga collar	Viga collar horizontal encofrada, de suelo-cemento 10:1, con dos varillas de acero de refuerzo de 3/8" y con estribos de 1/4" cada 20 cm. Cuando se usan tímpanos de adobe se agrega una viga collar inclinada.
Conexión viga collar-muro	Refuerzo de la viga collar amarrado al refuerzo vertical (resistiendo el movimiento horizontal de corte).
Conexión techo-viga collar	Estructura de techo fijada a la viga collar mediante conectores de acero de 1/4".
Estructura del techo	Pórtico de acero de sección 'C', techo a una agua.
Cubierta del techo	Tejas de microcemento, primera hilada amarrada al pórtico.
Tímpanos	Adobe o vara de Castilla.
Recubrimiento de muro	Mezcla cemento-arena, luego mortero cal-arena aplicado a los muros externos.
Piso	?
Provisión para ampliación	Si, el diseño de la casa está basado en módulos que pueden ser ampliados en fecha posterior removiendo bloques de contrafuertes predominantes. El diseño global permite su duplicación, resultando con un techo a dos aguas y cuatro habitaciones.
Otra infraestructura	Construido en comunidad existente, con escuela, tienda, etc. en la cercanía.

UNES: San Julián, Sonsonate

Fecha de la visita	7 de Abril del 2002.
Ubicación	San Julián, Sonsonate. También involucrado en otros proyectos de adobe en El Salvador.
Cantidad	33 casas.
Tipo de vivienda	Una vivienda ecológica antisísmica.
Cronograma	Abril 2001 – ?.
Colaboración	Financiación de la Federación Luterana.
Costos	?
Supervisión	0.5 capataz, visitas de ingeniero.
Mano de Obra	Grupos de trabajo de beneficiarios.

Beneficiarios	Pobladores locales, construyendo en terreno propio.
Capacitación Inicial	Taller de discusión.
Dimensiones	2 habitaciones: cada una de 2.8 m x 2.8 m, más patio techado (aproximadamente 7.2 m x 4.5 m).
Área techada	Interna: 16 m^2. Total: 63 m^2 (estimada).
Cimientos	40 cm de ancho, 40 cm de profundidad, con piedras y mortero arena-cemento.
Sobrecimiento	30 cm de ancho, 30 cm de alto, con piedras y mortero arena-cemento, sin refuerzo.
Membrana aislante de humedad	Lámina plástica entre sobrecimiento y muro de adobe.
Tierra para adobe	Suelo importado, aproximadamente 40% arena, 40% tierra blanca, 20% arcilla. Mezclado manualmente.
Bloques	Tamaño entero: 30 x 30 x 10 cm. Mitad: 30 x 14 x 10 cm. El molde incluye vacíos para el refuerzo.
Juntas de mortero	Aproximadamente 2 cm.
Refuerzo Vertical	Vara de Castilla (caña local / bambú), cada 64 cm, desde el sobrecimiento hasta la viga collar.
Refuerzo Horizontal	Vara de castilla partida, cada cuatro hiladas.
Muros	Muros portantes de 30 cm de espesor.
Contrafuertes	De 16 cm, en las esquinas y muros intermedios.
Dinteles	Bloques ranurados moldeados de suelo-cemento (5:1), con dos varillas de acero y rellenados con mezcla suelo-cemento (5:1).
Viga collar	Bloques ranurados moldeados de suelo-cemento (4:1), con dos varillas de acero de refuerzo de 3/8" y con estribos de 1/4" cada 20 cm (**figura 23**).
Conexión viga collar-muro	Refuerzo de la viga collar amarrado al refuerzo vertical (resistiendo el movimiento horizontal de corte).
Conexión techo-viga collar	Estructura de techo fijada al refuerzo de la viga collar con alambre galvanizado.
Estructura del techo	Madera, techo a dos aguas.
Cubierta del techo	Tejas de microcemento.
Tímpanos	Adobe o abierto.
Recubrimiento de muro	Con mezcla de barro del adobe.
Piso	Capa de cemento, sin refuerzo.
Provisión para ampliación	No específicamente.
Otra infraestructura	Construido en comunidad existente, con servicios existentes.

Apéndice D: Expedición El Salvador: Especificaciones de Diseño y Construcción

Ubicación	El Condadillo, Estanzuelas, Usulután.
Cantidad	Una guardería.
Tipo de vivienda	Adobe mejorado.
Cronograma	Proyecto Total: Enero – Diciembre 2002. Construcción: Agosto – Diciembre 2002.

Colaboración	CAFOD UK (costos de construcción en el país), Embajada Británica en El Salvador, Shell, GESAL, Imperial College de Londres, Universidad de Tecnología de Sydney, Australia, Municipalidad de Estanzuelas y otros.
Costos	Costos directos de construcción US $ 5,000 (herramientas, materiales, transporte, maestro de obra) más donaciones en especies.
Supervisión	1 Ingeniero, 1 Constructor.
Mano de Obra	Miembros de la comunidad local, nueve estudiantes voluntarios del Imperial College, Londres.
Beneficiarios	Miembros de la comunidad local.
Capacitación Inicial	Discusión. El proyecto fue diseñado como un programa de capacitación.
Dimensiones	Área interna: 9.3 m x 3.6m, 1 habitación, más patio techado de 12 m x 3.8 m.
Área techada	Interna: 33.5 m². Total: 105 m² (estimada).
Cimientos	40 cm de ancho, 30-40 cm de profundidad, con piedras, mortero de cemento y con tres varillas horizontales de acero.
Sobrecimiento	30 cm de ancho, 30 cm de alto, con piedras y cemento (**figura 32**), sin refuerzo.
Membrana aislante de humedad	Lámina plástica entre sobrecimiento y muro de adobe.
Tierra para adobe	Suelo local e importado, aproximadamente 40% arena, 40% tierra blanca, 20% arcilla. Mezclado manualmente.
Bloques	Tamaño entero: 30 x 30 x 10 cm. Mitad: 30 x 14 x 10 cm. El molde incluye vacíos para el refuerzo (**figura 26**). Los vacíos se ajustan a lo requerido empleando un badilejo de albañil.
Juntas de mortero	Aproximadamente 2 cm.
Refuerzo Vertical	Vara de Castilla (caña local / bambú), cada 64 cm, hasta la viga collar. Conectado al refuerzo de la cimentación mediante perfiles 'L' de acero (**figura 32**).
Refuerzo Horizontal	Alambre de púas, cada cuatro hiladas. También franjas de malla de gallinero entre las hiladas superiores.
Muros	Muros portantes de 30 cm de espesor (**figura 30**).
Contrafuertes	De 32 cm, en las esquinas y muros intermedios.
Dinteles	Madera.
Viga collar	Bloques ranurados moldeados de suelo-cemento (7:1), con dos varillas de acero de refuerzo de 1/2" y con estribos de 1/4" cada 25 cm. La ranura está rellena con mezcla arena-cemento 5:1.
Conexión viga collar-muro	Refuerzo de la viga collar amarrado al refuerzo vertical (resistiendo el movimiento horizontal de corte) y a un alambre galvanizado de gran calibre que pasa dentro del muro, cinco hiladas por debajo (resistiendo el levantamiento).
Conexión techo-viga collar	El alambre galvanizado continúa más allá de la viga collar y está sujetado y engrapado a la estructura del techo de madera. También están fijados conectores de acero de 1/4" desde los dinteles.
Estructura del techo	Madera, techo a dos aguas.
Cubierta del techo	Lámina zinc-aluminio.
Tímpanos	Malla electrosoldada y malla cortina.
Recubrimiento de muro	Externamente: Mezcla de aceite de linaza y trementina mineral (1:1). Internamente: Adhesivo para empapelado (agente anti-polvo).
Piso	Internamente: Losa de concreto, sin refuerzo. Externamente (patio): Losa de concreto con malla de refuerzo.
Provisión para ampliación	No específicamente.
Otra infraestructura	Se construyó una letrina. Posibilidades de conexión futura de electricidad y agua. Construido en comunidad existente, con servicios existentes.